O Retrato de Dorian Gray

Oscar Wilde

TEXTO INTEGRAL

Tradução : Pietro Nassetti

COLEÇÃO A OBRA-PRIMA DE CADA AUTOR

O RETRATO DE DORIAN GRAY

Oscar Wilde

TEXTO INTEGRAL

MARTIN CLARET

CRÉDITOS

IDEALIZAÇÃO E REALIZAÇÃO
Martin Claret

CAPA
Ilustração
Cláudio Gianfardoni

MIOLO
Revisão
Patrícia Lacerda

Tradução
Pietro Nassetti

Projeto Gráfico
José Duarte T. de Castro

Direção de Arte
José Duarte T. de Castro

Digitação
Conceição A. Gatti Leonardo

Editoração Eletrônica
Editora Martin Claret

Fotolitos da Capa
OESP

Papel
Off-Set, 75g/m²

Impressão e Acabamento
Paulus Gráfica

Editora Martin Claret - Rua Alegrete, 62 - Bairro Sumaré
CEP 01254-010 - São Paulo - SP
Tel.: (11) 3672-8144 - Fax: (11) 3673-7146
www.martinclaret.com.br

Agradecemos a todos os nossos amigos e colaboradores — pessoas físicas e jurídicas — que deram as condições para que fosse possível a publicação deste livro.

Este livro foi impresso no outono de 2002.

A história do livro e a coleção "A Obra-Prima de Cada Autor"

MARTIN CLARET

Que é o livro? Para fins estatísticos, na década de 60, a UNESCO considerou o livro "uma publicação impressa, não periódica, que consta no mínimo de 49 páginas, sem contar as capas".

O livro é um produto industrial.

Mas também é mais do que um simples produto. O primeiro conceito que deveríamos reter é o de que o livro como objeto é o veículo, o suporte de uma informação. O livro é uma das mais revolucionárias invenções do homem.

A *Enciclopédia Abril* (1972), publicada pelo editor e grande empresário Victor Civita, no verbete "livro" traz concisas e importantes informações sobre a história do livro. Para completo conhecimento de nosso leitor, transcrevemos a seguir alguns tópicos desse didático estudo sobre o livro:

O livro na Antiguidade

Antes mesmo que o homem pensasse em utilizar determinados materiais para escrever (como, por exemplo, fibras vegetais e tecidos), as bibliotecas da Antiguidade estavam repletas de textos gravados em tabuinhas de barro cozido. Eram os primeiros "livros", depois progressivamente modificados até chegarem a ser feitos — em grandes tiragens — em papel impresso mecanicamente, proporcionando facilidade de leitura e transporte. Com eles, tornou-se possível, em todas as épocas, transmitir fatos, acontecimentos históricos, descobertas, tratados, códigos ou apenas entretenimento.

Como sua fabricação, a função do livro sofreu enormes modificações dentro das mais diversas sociedades, a ponto de constituir uma mercadoria especial, com técnica, intenção e utilização determinadas. No moderno movimento editorial das chamadas sociedades de consumo, o livro pode ser considerado uma mercadoria cultural, com maior ou menor significado no contexto socioeconômico em que é publicado. Enquanto mercadoria, pode ser comprado, vendido ou trocado. Isso não ocorre, porém, com sua função intrínseca, insubstituível: pode-se dizer que o livro é essencialmente um instrumento cultural de difusão de idéias, transmissão de conceitos, documentação (inclusive fotográfica e iconográfica), entretenimento ou ainda de condensação e acumulação do conhecimento. A palavra escrita venceu o tempo, e o livro conquistou o espaço. Teoricamente, toda a humanidade pode ser atingida por textos que difundem idéias que vão de Sócrates e Horácio a Sartre e McLuhan, de Adolf Hitler a Karl Marx.

Espelho da sociedade

A história do livro confunde-se, em muitos aspectos, com a história da humanidade. Sempre que escolhem frases e temas, e transmitem idéias e conceitos, os escritores estão elegendo o que consideram significativo no momento histórico e cultural que vivem. E, assim, fornecem dados para a análise de sua sociedade. O conteúdo de um livro — aceito, discutido ou refutado socialmente — integra a estrutura intelectual dos grupos sociais.

Nos primeiros tempos, o escritor geralmente vivia em contato direto com seu público, que era formado por uns poucos letrados, já cientes das opiniões, idéias, imaginação e teses do autor, pela própria convivência que tinha com ele. Muitas vezes, mesmo antes de ser redigido o texto, as idéias nele contidas já haviam sido intensamente discutidas pelo escritor e parte de seus leitores. Nessa época, como em várias outras, não se pensava na enorme porcentagem de analfabetos. Até o século XV, o livro servia exclusivamente a uma pequena minoria de sábios e estudiosos que constituíam os círculos intelectuais (confinados aos mosteiros durante o começo da Idade Média) e que tinham acesso às bibliotecas, cheias de manuscritos ricamente ilustrados.

Com o reflorescimento comercial europeu, nos fins do século XIV, burgueses e comerciantes passaram a integrar o mercado livreiro da época. A erudição laicizou-se e o número de escritores aumentou, surgindo também as primeiras obras escritas em línguas que não o latim e o grego (reservadas aos textos clássicos e aos assuntos considerados dignos de atenção). Nos séculos XVI e XVII surgiram diversas literaturas nacionais, demonstrando, além do florescimento intelectual da época, que a população letrada dos países europeus estava mais capacitada a adquirir obras escritas.

Cultura e comércio

Com o desenvolvimento do sistema de impressão de Gutenberg, a Europa conseguiu dinamizar a fabricação de livros, imprimindo, em cinqüenta anos, cerca de 20 milhões de exemplares para uma população de quase 10 milhões de habitantes, cuja maioria era analfabeta. Para a época, isso significou enorme revolução, demonstrando que a imprensa só se tornou uma realidade diante da necessidade social de ler mais.

Impressos em papel, feitos em cadernos costurados e posteriormente encapados, os livros tornaram-se empreendimento cultural e comercial: os editores passaram logo a se preocupar com melhor apresentação e preços reduzidos. Tudo levou à comercialização do livro. E os livreiros baseavam-se no gosto do público para imprimir, principalmente, obras religiosas, novelas, coleções de anedotas, manuais técnicos e receitas.

Mas a porcentagem de leitores não cresceu na mesma proporção que a expansão demográfica mundial. Somente com as modificações socioculturais e econômicas do século XIX — quando o livro começou a ser utilizado também como meio de divulgação dessas modificações e o conhecimento passou a significar uma conquista para o homem, que, segundo se acreditava, poderia ascender socialmente se lesse — houve um relativo aumento de leitores, sobretudo na França e na Inglaterra, onde alguns editores passaram a produzir obras completas de autores famosos, a preços baixos. O livro era então interpretado como símbolo de liberdade, conseguida por conquistas culturais. Entretanto, na maioria dos países, não houve nenhuma grande modificação nos índices percentuais até o fim da Primeira Guerra Mundial (1914/18), quando surgiram as primeiras grandes tiragens de um só livro, principalmente romances, novelas e textos didáticos. O número elevado de cópias, além de baratear o preço da unidade, difundiu ainda mais a literatura. Mesmo assim, a maior parte da população de muitos países continuou distanciada, em parte porque o livro, em si, tinha sido durante muitos séculos considerado objeto raro, atingível somente por um pequeno número de eruditos. A grande massa da população mostrou maior receptividade aos jornais, periódicos e folhetins, mais dinâmicos e atualizados, e acessíveis ao poder aquisitivo da grande maioria. Mas isso não chegou a ameaçar o livro como símbolo cultural de difusão de idéias, como fariam, mais tarde, o rádio, o cinema e a televisão.

O advento das técnicas eletrônicas, o aperfeiçoamento dos métodos fotográficos e a pesquisa de materiais praticamente imperecíveis fazem alguns teóricos da comunicação de massa pensarem num futuro sem os livros tradicionais (com seu formato quadrado ou retangular, composto de folhas de papel, unidas umas às outras por um dos lados). Seu conteúdo e suas mensagens (racionais ou emocionais) seriam transmitidos por outros meios, como, por exemplo, microfilmes e fitas gravadas.

A televisão transformaria o

mundo todo numa grande "aldeia" (como afirmou Marshall McLuhan), no momento em que todas as sociedades decretassem sua prioridade em relação aos textos escritos. Mas a palavra escrita dificilmente deixaria de ser considerada uma das mais importantes heranças culturais, entre todos os povos.

Através de toda sua evolução, o livro sempre pôde ser visto como objeto cultural (manuseável, com forma entendida e interpretada em função de valores plásticos) e símbolo cultural (dotado de conteúdo, entendido e interpretado em função de valores semânticos). As duas maneiras podem fundir-se no pensamento coletivo, como um conjunto orgânico (onde texto e arte se completam, como, por exemplo, num livro de arte) ou apenas como um conjunto textual (onde a mensagem escrita vem em primeiro lugar — num livro de matemática, por exemplo).

A mensagem (racional, prática ou emocional) de um livro é sempre intelectual e pode ser revivida a cada momento. O conteúdo, estático em si, dinamiza-se em função da assimilação das palavras pelo leitor, que pode discuti-las, reafirmá-las, negá-las ou transformá-las. Por isso, um livro pode ser considerado instrumento cultural capaz de libertar informação, sons, imagens, sentimentos e idéias através do tempo e do espaço. A quantidade e a qualidade de idéias colocadas num texto podem ser aceitas por uma sociedade, ou por ela negadas, quando entram em choque com conceitos ou normas culturalmente admitidos.

Nas sociedades modernas, onde a classe média tende a considerar o livro como sinal de *status* e cultura (erudição), os compradores utilizam-no como símbolo mesmo, desvirtuando suas funções ao transformá-lo em livro-objeto. Mas o livro é antes de tudo funcional — seu conteúdo é que lhe dá valor (como os livros de ciências, filosofia, religião, artes, história e geografia, que representam cerca de 75% dos títulos publicados anualmente em todo o mundo).

O mundo lê mais

No século XX, o consumo e a produção de livros aumentaram progressivamente. Lançado logo após a Segunda Guerra Mundial (1939/45), quando uma das características principais da edição de um livro eram as capas entreteladas ou cartonadas, o livro de bolso constituiu um grande êxito comercial. As obras — sobretudo best sellers publicados algum tempo antes em edições de luxo — passaram a ser impressas em rotativas, como as revistas, e distribuídas às bancas de jornal. Como as tiragens elevadas permitiam preços muito baixos, essas edições de bolso popularizaram-se e ganharam importância em todo o mundo.

Até 1950, existiam somente

livros de bolso destinados a pessoas de baixo poder aquisitivo; a partir de 1955, desenvolveu-se a categoria do livro de bolso "de luxo". As características principais destes últimos eram a abundância das coleções — em 1964 havia mais de duzentas, nos Estados Unidos — e a variedade de títulos, endereçados a um público intelectualmente mais refinado. A essa diversificação das categorias adiciona-se a dos pontos de venda, que passaram a abranger, além das bancas de jornal, farmácias, lojas, livrarias etc. Assim, nos Estados Unidos, o número de títulos publicados em edições de bolso chegou a 35.000 em 1969, representando quase 35% do total dos títulos editados.

Proposta da coleção "A Obra-Prima de Cada Autor"

A palavra "coleção" é uma palavra há muito tempo dicionarizada, e em geral define o conjunto ou reunião de objetos da mesma natureza ou que têm qualquer relação entre si. Relativamente à editoração, significa o conjunto não limitado de obras de autores diversos publicado por uma mesma editora, sob um título geral indicativo de assunto ou área, para atendimento de segmentos definidos do mercado.

A coleção "A Obra-Prima de Cada Autor" corresponde plenamente à definição acima mencionada. Nosso objetivo principal é oferecer, em formato de bolso, a obra mais importante de cada autor, satisfazendo o leitor que procura qualidade.

Desde os tempos mais remotos existiram coleções de livros. Em Nínive, em Pérgamo e na Anatólia existiam "coleções" de obras literárias de grande importância cultural. Mas nenhuma delas superou a célebre biblioteca de Alexandria, incendiada em 48 a.C. pelas legiões de Júlio César, quando arrasaram a cidade.

A coleção "A Obra-Prima de Cada Autor" é uma série de livros composta de mais de 100 volumes, formato de bolso, com preço altamente competitivo e encontrável em centenas de pontos de venda. O critério empregado para selecionar os títulos foi o já estabelecido pela tradição e pela crítica especializada. Na maioria, são obras de ficção, embora possa haver textos sobre religião, poesia, política, psicologia e obras de auto-ajuda. Inauguram a coleção quatro textos clássicos: *Dom Casmurro,* de Machado de Assis; *O Príncipe,* de Maquiavel; *Mensagem,* de Fernando Pessoa; e *O Lobo do Mar,* de Jack London.

Nossa proposta é a de uma coleção aberta quantitativamente. A periodicidade é mensal.

Editorialmente, nos sentimos orgulhosos em poder oferecer a coleção "A Obra-Prima de Cada Autor" aos leitores brasileiros.

Nós acreditamos na função do livro.

Prefácio do artista

BASIL HALLWARD

Na primavera de 1884, Oscar Wilde freqüentava assiduamente meu estúdio. Um dos meus modelos era um jovem cavalheiro de formosura tão rara, que os amigos o tinham cognominado de "Mocidade Radiosa". Todas as tardes Wilde assistia aos progressos do quadro, encantando-nos ao mesmo tempo com a sua prosa brilhante. Finalmente o retrato terminou e o original voltou à sua vida, alegrando-se, por certo, de recobrar a liberdade.

Ora, a beleza de "Dorian" era da espécie cujo encanto depende da expressão e do colorido. Os seus cabelos eram ondeados e lustrosos; o vigor da saúde transparecia-lhe nas faces; os seus olhos cintilavam de uma luz maliciosa, de bom humor e de pensamentos elevados. Dorian era um desses rapazes que fazem o mundo parecer alegre, mesmo quando sopra o vento de leste. Irradiava bondade e alegria. O quarto mais sombrio adquiria um aspecto risonho quando ele entrava.

— É pena que uma criatura tão radiosa deva envelhecer — suspirou Wilde.

— Realmente — concordei. — Que beleza, se Dorian pudesse ficar exatamente como é e o retrato envelhecesse e se enrugasse em seu lugar! Faço votos que seja assim.

Foi tudo. Ocupei-me com o quadro talvez um quarto de hora, durante o qual Wilde fumava pensativamente, sem dizer palavra. De súbito levantou-se e correu para a porta, mal se despedindo de mim, com um aceno.

Casos de família afastaram-me quase que em seguida de Londres. Não tornei a ver Wilde nem Gray.

Um dia, anos depois, este livro caiu-me às mãos. Não me lembro nem onde nem como, embora me surpreendesse encontrar o gérmen — semeado estouvadamente no curso de uma palestra ociosa — desenvolvido pela arte do escritor em O retrato de Dorian

Gray. *Naturalmente Oscar Wilde bordara muito sobre o tema. Antes de tudo, "Mocidade Radiosa" era o oposto do perverso herói de Wilde. Era tal, porém, no autor, o amor pelo paradoxo, que essa antítese de caráter foi justamente o que lhe fascinou o cérebro de poeta, de onde nasceram as páginas que se seguem.*

Prefácio do autor

OSCAR WILDE

O artista é criador de coisas belas.

Revelar a arte e encobrir o artista é a razão de ser da arte. O crítico é aquele capaz de exprimir de modo distinto e com material diferente a sua impressão das coisas belas.

A forma e crítica mais elevada, como a mais baixa, é um gênero de autobiografia.

Os que só vêem intenções vis nas coisas belas são depravados destituídos de encanto. É um defeito.

Os que admitem intenções belas nas coisas belas são espíritos cultos. Para estes há esperança. São os eleitos, para quem o belo significa unicamente Beleza.

Não existe livro moral nem imoral. Os livros são bem ou mal escritos. Eis tudo.

A aversão do século 19 ao Realismo é a fúria de Calibã ao reconhecer a sua imagem num espelho.

A antipatia que o século XIX vota ao Romantismo é o despeito de Calibã por não ver o seu rosto num espelho.

A vida moral do homem forma parte do argumento e do material do artista. Mas a moralidade da arte consiste no uso perfeito de um instrumento imperfeito. Nenhum artista pretende provar o que quer que seja. A própria verdade pode ser provada.

Artista algum tem preferências éticas. Uma preferência moral, em um artista, é imperdoável maneirismo de estilo.

Não há artista doentio. O artista pode exprimir tudo.

O pensamento e a linguagem são para o artista instrumentos de uma arte.

Vício e virtude representam para o artista a matéria-prima da sua arte. Do ponto de vista da forma, o protótipo das artes é a do músico. Do ponto de vista do sentimento, é o talento do ator.

Toda arte é ao mesmo tempo aparência e símbolo.

Os que penetram abaixo dessa aparência o fazem por sua conta e risco.

Os que decifram o símbolo também o fazem por sua conta e ris-

co. A arte reflete o espectador e não a vida.

A diversidade de opiniões acerca de uma obra de arte evidencia que essa obra é nova, complexa e vital.

Quando a crítica discorda, o artista está de acordo consigo mesmo.

Pode perdoar-se a um homem a criação de uma coisa útil, contanto que ele não a admire. A única justificativa para a criação de uma coisa inútil é que ela seja admirada intensamente.

Toda arte é absolutamente inútil.

CAPÍTULO I

O perfume embriagador das rosas impregnava o estúdio; e quando a leve aragem do estio começou a sussurrar por entre as árvores do jardim, o aroma forte dos lilases entrou pela porta aberta, de mistura com o olor mais suave das flores róseas do espinheiro.

Do canto do divã de couro persa, onde se recostara a fumar, como de costume, inúmeros cigarros, lorde Henry Wotton via apenas a floração radiosa da madressilva, as flores cor de mel de um laburno de ramagem trêmula, que mal suportava o peso da sua esplêndida florescência. De quando em quando, a sombra fantástica de pássaros em vôo riscava as compridas cortinas de seda, corridas defronte da larga janela, produzindo por instantes uma espécie de efêmero efeito japonês e trazendo à lembrança do observador os pálidos pintores de Tóquio, de rosto cor de jade, que timbravam em dar, com uma arte necessariamente imóvel, uma impressão de velocidade e de movimento. O zumbido surdo das abelhas, abrindo caminho na grama malcuidada, ou revoluteando com insistência monótona em torno das corolas douradas e poeirentas da madressilva, tornavam por assim dizer mais opressivo o silêncio circunstante. O burburinho atenuado de Londres assemelhava-se à nota grave de um órgão longínquo.

No centro da sala, em alto cavalete, destacava-se o retrato de um moço de extraordinária beleza, em tamanho natural. Defronte do quadro, a poucos passos, estava o próprio artista, Basil Hallward, cujo desaparecimento imprevisto, tempos atrás, suscitou enorme discussão e deu origem às mais desencontradas conjecturas.

Quando o pintor pousava os olhos na figura elegante e graciosa que tão bem sonhara reproduzir com a sua arte, um sorriso de satisfação iluminava-lhe demoradamente as feições. Nesse momento, porém, ele teve uma espécie de sobressalto; fechou os olhos e comprimiu as pálpebras com os dedos, como se quisesse reter no cérebro algum sonho estranho de que receasse acordar.

— É a sua obra-prima, Basil,

a melhor coisa que você já fez — disse languidamente lorde Henry. — Naturalmente, para o ano, vai mandar este quadro a Grosvenor. A Academia é muito grande, demasiado vulgar. Toda vez que vou lá, ou a gente é tanta que não consigo ver as telas, o que é detestável, ou os quadros são tantos que não consigo ver a gente, o que ainda é pior. Grosvenor é realmente o único local.

— Não tenciono mandá-lo a parte alguma — respondeu o artista, inclinando a cabeça para trás, com o jeito esquisito que já fazia rir os colegas em Oxford. Não; não o mandarei a parte alguma.

Lorde Henry franziu as sobrancelhas e encarou o artista com surpresa, por entre os fiapos de fumaça azulada que se desenroscavam do seu cigarro opiado.

— Não o mandará a parte alguma?! Por quê, meu caro? Tem alguma razão para isso? Tipos curiosos, os pintores! Fazem tudo neste mundo para alcançar fama. E, mal a têm, dir-se-ia que lhes pesa. Tolice! Por quê, se a coisa pior do que falarem de nós é não falarem de nós? Um retrato como este o elevará muito acima dos artistas jovens da Inglaterra e fará os velhos ralarem-se de inveja... se é que os velhos ainda são capazes de emoção.

— Sei que vai rir-se de mim — tornou o pintor. — Mas realmente não exporei este quadro. Pus nele muito do meu eu.

Lorde Henry espreguiçou-se no divã e riu-se.

— Sim, eu sabia que seria essa a sua reação, Harry. De qualquer maneira, o que eu disse é verdade.

— Pôs nele muito do seu eu! Palavra, Basil, não o julgava tão vaidoso! E realmente não vejo nenhuma parecença entre a sua cara enérgica e rude, a sua cabeleira negra como carvão, e esse Adônis que se diria feito de marfim e pétalas de rosa. Sim, meu caro Basil, esse menino é um Narciso; e você... Bem, é claro que tem uma expressão inteligente e outras coisas. Mas a beleza, a verdadeira beleza, acaba onde principia a expressão inteligente. A inteligência em si é uma espécie de exagero; desmancha a harmonia de qualquer rosto. A partir do instante em que nos metemos a pensar, vamos ficando só olhos, ou só testa, ou qualquer outro horror. Olhe para os homens que vencem em qualquer dos ramos do saber. São inteiramente hediondos! Exceto na Igreja, naturalmente. É que os eclesiásticos não pensam. Aos oitenta anos, o bispo continua dizendo as mesmas coisas que dizia aos dezoito; e, como conseqüência natural, conserva uma aparência deliciosa. O seu misterioso jovem amigo, cujo nome você nunca me disse, mas cujo retrato me enfeitiçou realmente, não pensa. Estou certo disso. É uma bela criatura sem miolos, que deveria estar sempre aqui no inverno, quando não há flores para olhar; e sempre no verão, quando suspiramos por qualquer coisa que nos refresque as idéias. Não se iluda, Basil: você não se parece absolutamente com ele.

— Não me compreendeu, Harry — replicou o pintor. — É claro que não me pareço com ele; sei disso muito bem. E creia: lamentaria parecer-me. Encolhe os ombros? Pois olhe que estou falando a verdade! Em toda superioridade física ou intelectual, há uma fatalidade, a fatalidade que parece seguir, através da história, os passos incertos dos reis. É preferível não sermos diferentes do nosso próximo. O feio, o tolo têm neste mundo a melhor sorte. Se não chegam a provar o gosto da vitória; pelo menos lhes é poupado o ranço das derrotas. Vivem como nós todos deveríamos viver: sossegados, indiferentes, sem preocupações. Não causam a desgraça alheia nem são desgraçados por alheias mãos... A sua posição social e a sua riqueza, Harry, a minha inteligência, seja qual for, a minha arte, valha o que valer, a bela aparência de Dorian Gray: são dons dos deuses, pelos quais teremos os três de sofrer, de sofrer horrivelmente.

— Dorian Gray? É assim que ele se chama? — acudiu lorde Henry, atravessando o atelier, em direção a Basil Hallward.

— É esse o nome dele, que eu não tencionava dizer-lhe.

— Oh! E por que não?

— Não sei explicar. Das criaturas de quem gosto muito, nunca digo o nome a outras pessoas. Seria o mesmo que me privar de uma parte delas. Criei-me adorando o segredo. A meu ver só ele é capaz de nos tornar misteriosa ou maravilhosa a vida dos nossos dias. A coisa mais comum, se a ocultarmos, é um deleite. Quando saio da cidade, nunca digo aos meus aonde vou. Se o dissesse, estragaria todo o meu prazer. Um hábito absurdo, concordo; mas, sei lá por quê, dá à vida um cunho romanesco. Acha-me bem tolo, não? Seja franco.

— Pelo contrário, meu caro Basil, pelo contrário! — protestou lorde Henry. — Esquece que sou casado e que o único encanto do casamento é tornar absolutamente necessária aos dois cônjuges uma vida de ilusão. Não sei nunca onde anda minha mulher; nem ela sabe jamais o que eu faço. Quando nos encontramos — isso acontece uma ou outra vez — quando jantamos fora ou visitamos o duque, impingimo-nos mutuamente, com a cara mais desavergonhada, as histórias mais extravagantes. Nisso minha mulher se sai muito bem... muito melhor do que eu. Ao contrário do que me sucede, ela nunca se atrapalha com as datas. E, se me pega em falta, não arma cenas. Às vezes, eu até gostaria de vê-la zangar-se. Mas limita-se a rir de mim.

— Detesto esse seu modo de falar da sua vida conjugal, Harry — disse Basil Hallward, dirigindo-se para a porta que dava para o jardim. — Estou certo de que é ótimo marido; mas envergonha-se das suas virtudes. Você é um homem extraordinário, meu amigo. Nunca diz uma coisa moral; e nunca pratica uma ação repreensível. O seu cinismo não passa de pose.

— Ser natural é simplesmente uma pose, a mais irritante que conheço — retrucou jovialmente lorde Henry.

Os dois moços saíram para o jardim e sentaram-se num comprido banco de bambu, à sombra de um loureiral.

Os raios do sol deslizavam nas folhas luzidias; no gramado, tremulavam margaridinhas.

Ao termo de um silêncio, lorde Henry puxou o relógio e murmurou:

— Creio que tenho de ir, Basil. Antes de me retirar, insisto em que responda à pergunta que lhe fiz há pouco.

— Que pergunta? — redargüiu o pintor, com os olhos cravados no chão.

— Sabe perfeitamente.

— Não, Harry.

— Então eu lhe direi. Quero que me explique por que não pretende expor o retrato de Dorian Gray. Mas quero o verdadeiro motivo.

— Eu lhe dei o verdadeiro motivo.

— Não. Não deu. Disse-me que não o exporia porque pôs nesse quadro muito do seu eu. É uma puerilidade!

— Harry — replicou Basil Hallward, encarando o amigo —, todo retrato pintado com sentimento retrata o artista e não o modelo. Este é apenas uma casualidade, o pretexto. Não é o modelo o que o artista revela; eu diria que o pintor, na sua tela, se revela a si próprio. O motivo por que não tenciono expor este retrato é o receio de ter deixado nele o segredo da minha alma.

Lorde Henry Wotton riu-se.

— E que segredo é esse? — perguntou.

— Eu lhe direi — respondeu o artista.

Mas uma expressão de perplexidade transpareceu-lhe nas feições.

— Estou esperando, Basil — tornou o companheiro, observando-o.

— Oh! realmente há muito pouco a dizer, Harry. Desconfio que você nem me entenderia. E talvez não acreditasse.

Lorde Henry sorriu. Curvou-se, colheu no prado uma margaridinha de pétalas rosadas e examinou-a.

— Estou absolutamente certo de que o entenderia — retorquiu, aparentemente interessado pelo centro dourado da corola clara. — Quanto a acreditar, sou capaz de acreditar em tudo, desde que seja coisa absolutamente incrível.

O vento arrebatou algumas flores às árvores; os cachos pesados dos lilases balançaram no ar abafadiço as suas pencas de estrelas. Um gafanhoto soltava a voz estrídula na parede; uma libélula esguia como um fio azul batia as asas de gaze. Nesse intervalo de expectativa, lorde Henry juraria que ouvia pulsar o coração de Basil.

— É simplesmente isto — disse afinal o pintor. — Há dois meses, fui a uma recepção em casa de lady Brandon. Como sabe, nós, os pobres artistas, temos de aparecer de vez em quando na sociedade, nem que seja para lembrar ao público que, afinal de contas, não somos selvagens. Você mesmo me disse uma vez que, de casaca e gravata branca, até um corretor de fundos pode granjear reputação de homem civilizado. Pois bem: depois de passar dez minutos no salão, conversando com damas respeitáveis e acadêmicos insípidos, tive de repente a sensação de que alguém me observava. Voltei-me e vi Dorian Gray pela primeira vez. Quando os nossos olhos se cruzaram, senti que empalidecia. Dominou-me uma curiosa sensação de medo. Pressenti que me encontrava face a face com alguém cuja simples personalidade era tão fascinante, que, se eu me deixasse atrair, poderia absorver-me inteiramente, absorver-me a alma e até a arte. Não admito nenhuma influência exterior na minha vida. Sabe perfeitamente, Harry, que sou independente por natureza; sempre fui senhor de mim mesmo... Pelo menos, até conhecer Dorian Gray. Depois... Mas realmente, não sei como lhe hei de explicar. Foi como se alguma coisa me dissesse que eu estava na iminência de uma crise terrível em minha vida. Tive o estranho pressentimento de que a sorte me reservava alegrias e tristezas indizíveis. Sentia-me cada vez mais apreensivo e preparava-me para deixar o salão, sem consciência do que me impelia a sair. Foi uma espécie de covardia. Não me orgulho muito dessa tentativa de fuga.

— Consciência e covardia são, na verdade, a mesma coisa, Basil. Consciência é apenas a razão social da firma.

— Não sou desse parecer, Harry; nem creio que você o seja. Contudo, fosse qual fosse o meu motivo (e podia ser orgulho, porque eu era muito orgulhoso), tratei de procurar a saída. Ali naturalmente esbarrei com a anfitriã. "Não me diga que já vai, senhor Hallward!", guinchou lady Brandon. Sabe que ela tem uma voz esquisita, estridente?

— Sei. É uma pavoa em tudo, menos na beleza — respondeu lorde Henry, espedaçando a margaridinha, com os dedos afiados e nervosos.

— Não consegui livrar-me dela. Apresentou-me a personagens principescas e condecoradas, a damas veneráveis de diademas imponentes e nariz de papagaio, como o seu mais caro amigo. Só me tinha visto uma vez, mas metera-se-lhe na cabeça tratar-me com especial deferência. Talvez fosse influência de certo quadro meu, muito elogiado naquele tempo, ou pelo menos muito citado nos jornais, o que é, no nosso século, o padrão da imortalidade. De súbito achei-me em presença do rapaz cuja personalidade me impressionara tão profundamente. Estávamos próximos um do outro, tocando-nos quase. Os nossos olhos tornaram a cruzar-se e eu, sem dar pelo que fazia, pedi a lady Brandon que mo apresentasse. Talvez nem fosse só imprudência minha e sim algo simplesmente inevitável. Talvez nos falássemos um ao outro, sem precisar apresentação. Foi o que Dorian me disse mais tarde. Ele também sentia que estávamos destinados a encontrar-nos.

— E como lhe descreveu lady Brandon o mocinho maravilhoso? — indagou lorde Henry. — Eu sei que ela costuma fazer uma biografia-relâmpago de todos os seus convidados. Lembro-me de quando me levou a certo cavalheiro truculento, de rosto congestionado, com o peito coberto de fitas e crachás, cochichando-me ao ouvido, mas de modo a que todos ouvissem, os mais horríveis pormenores. Fugi, simplesmente. Sou dos que gostam de descobrir pessoalmente os outros. Mas lady Brandon trata os seus hóspedes como o leiloeiro as suas mercadorias: ou os põe de vez na berlinda, ou deles diz tudo, menos o que desejaríamos saber...

— Pobre lady Brandon! Você não é amável com ela, Harry.

— Meu caro amigo, lady Brandon tentou criar um salão e só conseguiu abrir um restaurante. Como quer que eu a admire? Mas conte-me o que ela disse a respeito de Dorian Gray.

— Oh! Mais ou menos isto: "... um rapaz encantador. A sua finada mãe e eu éramos inseparáveis... Esqueci completamente o que ele faz... desconfio que não faz nada... Ah! sim: toca piano — ou é violino, prezado senhor Gray?". Rimo-nos os dois e ficamos logo amigos.

— O riso não é mau princípio, nem fim deplorável, para uma amizade — sentenciou o jovem lorde, colhendo outra margaridinha.

Hallward meneou a cabeça.

— Você não entende de amizade nem de inimizade, Harry. É amigo de todos; quer dizer: todos lhe são indiferentes.

— Que injustiça! — protestou lorde Henry, deitando o chapéu para trás e contemplando as nuvenzinhas, que pareciam flocos de seda branca no azul-turquesa do céu de verão. — Sim, injustiça clamorosa! Eu estabeleço diferença entre as pessoas. Escolho os meus amigos, pelo belo aspecto, os conhecidos, pelo bom gênio e os inimigos, pela inteligência. Não há necessidade de muito escrúpulo na escolha dos desafetos. Não tenho nenhum que seja tolo. Todos são de certo nível intelectual e, em conseqüência, me apreciam. Não é muita vaidade minha? Desconfio que sim.

— Estou para dizer que sim, Harry. Mas, de acordo com a sua classificação, eu devo ser apenas um conhecido.

— É muito mais do que um conhecido, meu velho!

— E muito menos do que um amigo. Uma espécie de irmão, suponho.

— Oh, os irmãos!... Não dou muito apreço a irmãos. Meu irmão mais velho não quer morrer e os mais novos parece que não fazem outra coisa.

— Harry! — exclamou Hallward, franzindo a testa.

— Oh! meu caro, não estou falando sério! Mas a verdade é que não simpatizo muito com os parentes. Talvez porque nos custe suportar as pessoas dotadas de defeitos iguais aos nossos. Compreendo perfeitamente a fúria da democracia inglesa contra o que se costuma chamar vícios das classes superiores. As massas sentem que a embriaguez, a estupidez e a imoralidade são sua propriedade exclusiva, e se algum de nós se mete a praticá-las, é como se lhes invadisse os domínios reservados. Quando o pobre Southwark compareceu perante o Tribunal de Divórcios, a indignação popular foi realmente sublime. Entretanto, não acredito que dez por cento do proletariado viva exemplarmente.

— Não concordo com uma palavra do que disse, Harry; e, o que é mais, estou certo de que você também não concorda.

Lorde Henry alisou o cavanhaque escuro e bateu na ponta da botina de verniz com a bengala de ébano, ornada de borlas.

— Como você é inglês, Basil! É a segunda vez que me faz essa observação. Quando nos damos ao trabalho de expor uma idéia a um inglês legítimo — ação sempre temerária! — ele nem sonha em averiguar se a idéia é boa ou má. O que lhe parece importante é saber se nós acreditamos nela. Ora, o valor de uma idéia nada tem a ver com a sinceridade do indivíduo que a exprime. Na realidade, a probabilidade é que, quanto menos sincero for o indivíduo, mais puramente intelectual deve ser a idéia, porquanto não a influenciam os interesses, nem os desejos, nem os preconceitos desse indivíduo. Seja como for, não me proponho discutir com você política, sociologia ou metafísica. Prezo as pessoas mais do que os princípios; e as pessoas sem princípios, mais do que tudo neste mundo. Diga-me mais a respeito do senhor Dorian Gray. Vêem-se freqüentemente?

— Todos os dias. Eu não me sentiria feliz, se não o visse diariamente. Ele me é necessário.

— Incrível! Sempre pensei que só a sua arte o interessasse.

— Ele, agora, é para mim a minha arte — disse gravemente o pintor. — Às vezes, Harry, parece-me que há só duas épocas importantes na história do mundo: a primeira é o aparecimento de um instrumento novo para a arte; a segunda, o surgimento de uma personalidade nova, também para a arte. O que foi para os venezianos a invenção da pintura a óleo, o rosto de Antínoo para a antiga escultura grega, será a figura de Dorian Gray, um dia, para mim. Não é somente o que esboço; traço ou pinto dele. Evidentemente não tenho feito outra coisa. Mas Dorian Gray é, para mim, muito mais que um modelo *vivo.* Não lhe direi que estou descontente com o que fiz dele, nem que a beleza desse jovem seja das que a arte não pode expressar. Não há nada que a arte não possa exprimir; e eu sei que o trabalho que tenho realizado desde que encontrei Dorian Gray é boa obra, a obra melhor da minha vida. Mas de certo modo estranho (será que você me entende?) a personalidade desse moço sugeriu-me uma maneira artística inteiramente original, uma nova modalidade de estilo. Vejo as coisas de outra maneira. Posso agora criar de novo a vida, sob um aspecto que, antes, me ficava oculto. "Um sonho de forma, em dias de meditação..." Quem foi que disse isso? Não me lembro. É, porém, o que Dorian Gray tem sido para mim. A simples presença visível desse garoto... para mim, ele é pouco mais que um garoto, embora tenha na realidade mais de vinte anos. A simples presença dele... Ah! Será que você avalia o que isso quer dizer? Inconscientemente, ele define para mim as linhas de uma nova escola, de uma escola que há de ter toda a paixão do espírito romântico, toda a perfeição peculiar do espírito helênico. A harmonia da alma e do corpo... que coisa estupenda! Nós, na nossa insânia, a desmembramos; inventamos um realismo que é vulgar, um idealismo que é vazio. Harry! Se você soubesse o que Dorian Gray é para mim! Lembra-se de uma paisagem minha, pela qual Agnew ofereceu-me um preço elevado que recusei? É uma das melhores coisas que fiz. E por quê? Porque, enquanto eu pintava, Dorian Gray estava ao meu lado! Transmitia-me alguma influência sutil e, pela primeira vez na vida, eu via numa floresta banal a maravilha que sempre andara procurando, sem a encontrar.

— Isso é extraordinário, Basil! Preciso ver Dorian Gray!

Hallward levantou-se e pôs-se a percorrer o jardim de um lado para outro. Ao termo de algum tempo, voltou-se para continuar:

— Harry, para mim, Dorian Gray é simplesmente um tema de arte. Você não perceberia nada nele; eu, nele, vejo tudo. Ele nunca deixa de estar mais presente na minha obra mesmo quando até a sua imagem está ausente. Dorian Gray é, como lhe disse, a sugestão de uma nova maneira. Encontro nele as curvas de certas linhas e, na sua graça, as sutilezas de certos coloridos. Só isso.

— Então, por que não quer

expor o retrato?

— Porque inconscientemente pus neste quadro certa expressão dessa singular idolatria artística, da qual é claro nunca falei ao rapaz. Ele não tem a menor idéia disso. Nem saberá de nada. Mas o mundo poderia adivinhar; e eu não quero desnudar a minha alma diante de olhos frívolos e curiosos. Não porei o coração sob esse microscópio. Há muito de mim neste retrato, Harry... Há demais!

— Os poetas não têm os seus escrúpulos, Basil. Eles sabem que boa propaganda é a paixão. Um coração despedaçado rende muitas edições.

— Detesto-os por isso! — exclamou o pintor. — O artista deve criar o belo; mas abster-se de pôr a sua vida nas suas criações. Vivemos num tempo em que os homens tratam a arte como se ela fosse uma forma de autobiografia. Perdemos a noção abstrata do belo. Qualquer dia destes, eu o mostrarei ao mundo. Eis por que o mundo nunca verá o meu retrato de Dorian Gray.

— Creio que se engana, Basil; mas não discutirei com você. Só os pobres de espírito discutem. Diga-me, Dorian Gray tem-lhe amizade?

O pintor pensou um instante:

— Dorian gosta de mim — respondeu afinal. — Sei que ele me estima. Também, eu o elogio perdidamente. Sinto um estranho prazer em lhe dizer coisas que depois me arrependerei de ter dito. De ordinário, ele é muito amável comigo; ficamos no estúdio a conversar sobre mil assuntos. Às vezes, porém, o rapaz é tremendamente estouvado e parece que acha graça em me afligir. Nessas ocasiões, Harry, sinto que entreguei a alma a alguém que a trata como se ela fosse uma flor para usar na lapela, uma condecoração que lhe lisonjeia a vaidade, um enfeite para um dia de verão.

— Os dias, no verão, Basil, são mais compridos — murmurou lorde Henry: Talvez você se canse mais depressa do que ele. É triste; mas o gênio dura mais do que a beleza. Isso explica o nosso empenho em nos educarmos bem. Na luta feroz pela existência, queremos contar com alguma coisa duradoura, e enchemos a mente com bobagens e fatos, na esperança insensata de guardarmos o nosso lugar. O homem perfeitamente bem informado, eis o ideal moderno. E o cérebro do homem perfeitamente bem informado é uma coisa horrorosa, uma espécie de bricabraque atulhado de monstrengos e de poeira, com tudo tabelado abaixo do verdadeiro valor. Creio, apesar de tudo, que você se cansará primeiro. Um belo dia, o seu amigo parecer-lhe-á menos perfeito; ou você não gostará do seu tom de colorido; ou seja lá o que for. Por isso o acusará asperamente no seu coração, e achará que ele procedeu muito mal a seu respeito. Na visita seguinte, o acolherá com absoluta frieza e indiferença. É pena, porque isso o transformará. O que você me contou é um romance... um romance de arte, digamos. E a pior conseqüência de um romance de qualquer gênero é ele nos deixar tão desromantizados.

— Não diga isso, Harry. A personalidade de Dorian Gray me dominará enquanto eu viver. Você não pode sentir o que eu sinto. Você é muito inconstante.

— Justamente por isso, meu caro Basil, eu penso assim. Os que são fiéis conhecem só o lado trivial do amor. A infidelidade é que sabe das tragédias do amor.

Lorde Henry riscou um fósforo em um delicado estojo de prata e pôs-se a fumar um cigarro com o ar altivo e satisfeito de quem resumiu o mundo em uma frase. Houve um chilrar de pardais; farfalharam as verdes folhas luzidias da hera e as sombras azuladas das nuvens perseguiram-se no gramado como as andorinhas.

Que jardim ameno! E como eram divertidas as emoções alheias! Mais divertidas do que as idéias, achava lorde Henry. A nossa alma e as paixões dos nossos amigos são as coisas mais empolgantes da vida. O jovem imaginava, mergulhado num silêncio divertido, o almoço enfadonho que perdera, demorando-se tanto em companhia de Basil Hallward. Se tivesse ido à casa da tia, encontraria infalivelmente lorde Goodbody, e a conversação giraria, inteirinha, em torno da alimentação das classes pobres e da necessidade da criação de pensõesmodelo. Cada classe social pregaria a importância das virtudes, cuja prática é desnecessária no seu modo de vida. O rico falaria do valor da economia; o ocioso exaltaria eloqüentemente a dignidade do trabalho. Que beleza ter escapado àquilo! A lembrança da tia despertou em lorde Henry outra lembrança:

— Achei, meu caro!

— O que foi que achou, Harry?

— Onde ouvi o nome de Dorian Gray.

— Onde foi? — perguntou Basil, franzindo de leve a testa.

— Não faça essa cara, Basil! Foi em casa de minha tia, de lady Aghata. Ela me disse que descobrira um rapaz maravilhoso que ia ajudá-la no East End e que se chamava Dorian Gray. Devo dizer que ela nunca me disse que o menino é bonito. As mulheres não prestam atenção a essas coisas. Pelo menos as mulheres direitas. Ela me falou de um moço muito sério e de boa índole. E eu logo fiz idéia de um sujeito de óculos, cabelos lisos, cara sardenta e pés enormes. Antes eu soubesse que era o seu amigo!

— Estimo que não soubesse, Harry.

— Por quê?

— Não quero que você o conheça.

— Não quer que eu o conheça?!

— Não.

— O senhor Dorian Gray está no atelier, senhor — anunciou o mordomo, aparecendo no jardim.

— Agora vai ter de me apresentar! — exclamou lorde Henry, com uma risada.

O pintor voltou-se para o criado.

— Diga ao senhor Gray que faça o favor de esperar, Parker. Estarei no atelier dentro de instantes.

O mordomo inclinou-se e subiu a alameda.

— Dorian Gray é o meu melhor amigo — disse então o artista a lorde Henry. — É uma natureza simples e bela. Tinha toda a razão, sua tia, ao dizer o que disse. Não o estrague. Não tente influenciá-lo. A sua influência seria deletéria. O mundo é grande e, no mundo, há criaturas maravilhosas. Não me prive da criatura que dá todo o encanto à minha arte. A minha vida de artista depende dele. Pense bem, Harry, confio em você.

Basil Hallward falara muito devagar. Dir-se-ia que as palavras lhe saíam dos lábios contra a sua vontade.

— Quantas tolices você está dizendo! Lorde Henry sorriu, tomou o braço do amigo e quase o arrastou para dentro.

CAPÍTULO II

Entrando, avistaram Dorian Gray. O rapaz estava sentado ao piano de costas para eles, folheando as páginas de *Cenas da floresta,* de Schumann.

— Tem de me emprestar isto, Basil! — exclamou ele. — Quero estudá-las. São realmente um encanto.

— Isso depende só de como você vai posar hoje, Dorian.

— Oh! Estou farto de posar. Para que hei de querer um retrato meu em tamanho natural? — replicou o moço, voltando-se petulantemente no banco do piano.

À vista de lorde Henry, corou levemente e levantou-se.

— Desculpe, Basil. Eu não sabia que você não vinha sozinho.

— Este é lorde Henry Wotton, Dorian; um velho amigo meu de Oxford. Eu estava justamente dizendo ao meu camarada que você é um modelo raro. E você estragou tudo.

—Não me estragou o prazer de conhecê-lo, senhor Gray — interveio lorde Henry, adiantandose e estendendo a mão. — Minha tia fala-me freqüentemente do senhor. É um dos seus favoritos; e desconfio que uma das vítimas também.

— Creio que agora não estou muito nas graças de lady Agatha — disse Dorian, com ar contrito e divertido. — Eu prometera ir a certo clube de Whitechapel com sua tia na terça-feira passada. E esqueci-me. Tínhamos de tocar três peças a quatro mãos, se não me engano. Que dirá ela de mim! Não me animo a aparecer-lhe.

— Ah! Eu darei um jeito para que faça as pazes com minha tia. Ela o aprecia muito. E não se preocupe com a impressão que possa ter causado a sua ausência. Quando tia Agatha senta-se ao piano, faz barulho por duas pessoas.

Dorian desatou a rir.

— Isso é crueldade com ela e pouca amabilidade comigo.

Lorde Henry olhou com mais atenção o seu jovem interlocutor. Achava-o realmente belo, com os lábios finos e vermelhos, os olhos azuis de expressão franca, os cabelos crespos e dourados. A sua fisionomia tinha qualquer coisa que logo inspirava confiança. Liase nela toda a candura da mocidade e, ao mesmo tempo, a pureza de uma alma apaixonada. Sentia-se que ainda não o maculara a torpeza do mundo. Não admirava que Basil Hallward o adorasse.

— É muito bonito para se meter em filantropia, senhor Gray... bonito demais — disse lorde Henry, recostando-se no divã e abrindo a cigarreira.

O pintor estivera misturando as tintas, preparando os pincéis. Parecia contrariado. Às últimas palavras do amigo, olhou-o, hesitou um instante e disse:

— Harry, tenciono terminar hoje este quadro. Acha que eu seria grosseiro, se o convidasse a retirar-se?

Lorde Henry sorriu e encarou o moço.

— Acha que devo retirar-me, senhor Gray?

— Oh! por favor, não vá, lorde Henry. Hoje, Basil está rabugento, estado de espírito em que eu não o tolero. Além disso, quero que me diga por que não devo meter-me em filantropia.

— Não sei se devo explicar-lhe esse porquê, senhor Gray. O assunto é enfadonho, e eu teria de levá-lo a sério. É claro, porém, que não me retirarei, se me pede que fique. Não o leva a mal, não é, Basil? Disse-me muitas vezes que gosta de que os seus modelos tenham com quem conversar.

O artista mordeu o lábio.

— Se Dorian quer que você fique, naturalmente deve ficar. Os caprichos de Dorian são lei para todos, salvo para ele.

Lorde Henry apanhou o chapéu e as luvas.

— É muito amável, Basil. Mas tenho mesmo que ir. Prometi encontrar-me com certo camarada no Orléans. Até breve, senhor Gray. Procure-me qualquer destas tardes na Curzon Street. Pelas cinco horas, estou quase sempre em casa. Previna-me quando quiser ir. Lamentaria perder a sua visita.

— Basil! — exclamou Dorian Gray — se lorde Henry sair, eu também vou. Quando você pinta, não abre a boca. E eu, neste estrado, obrigado a parecer alegre, aborreço-me horrivelmente. Peça a lorde Henry que fique. Faço questão.

— Fique, Harry, para fazer favor a Dorian e a mim — disse Hallward, considerando atentamente o quadro. — É verdade: quando trabalho, eu não falo nem escuto; os meus pobres modelos devem aborrecer-se de morte. Rogo-lhe que fique.

— Mas que dirá o camarada do Orléans?

O artista riu-se.

— Não creio que lhe vá criar dificuldades. Sente-se, Harry. E agora, Dorian, suba ao estrado e procure parecer alegre. Não se mova demais nem preste atenção ao que diz lorde Henry. Ele exerce uma influência nociva sobre todos os seus amigos, com a única exceção deste seu criado.

Dorian Gray subiu ao estrado, com um ar de jovem mártir grego, e dedicou uma careta de desagrado a lorde Henry, com o qual simpatizara logo. Achava-o muito diferente de Basil. Formavam os dois um contraste divertido. E que bela voz tinha ele!

— Exerce realmente má influência, lorde Henry? — perguntou o rapaz, momentos depois. —Tão má como diz Basil?

— Boa influência é coisa que não existe, senhor Gray. Toda influência é imoral... imoral, do ponto de vista científico.

— Por quê?

— Porque influenciar uma pessoa é emprestar-lhe a nossa alma. Essa pessoa deixa de ter idéias próprias, de vibrar com as suas paixões naturais. As suas qualidades não são verdadeiras. Os seus pecados, se é que existe o que se chama pecado, vêm-lhe de outrem. Essa pessoa torna-se o eco da música de outra pessoa, intérprete de um papel que não foi escrito para ela. A finalidade da vida é para cada um de nós o aperfeiçoamento, a realização plena da nossa personalidade. Hoje, cada qual tem medo de si próprio; esquece o maior dos deveres: o dever que tem consigo mesmo. Naturalmente, o homem é caridoso. Dá de comer ao faminto, veste o maltrapilho. Mas a sua alma é que sofre fome e anda nua. A coragem abandonou a nossa raça. Talvez nunca a tenhamos tido. O temor da sociedade, que é a base da moral, e o temor a Deus, que é o segredo da religião... eis as duas coisas que nos governam. Contudo...

— Volte um pouco mais a cabeça para a direita, Dorian; seja bonzinho — atalhou o pintor, absorvido no trabalho, percebendo só que o rosto do modelo assumira uma expressão nova, uma expressão que ele não conhecia.

— Contudo — continuou lorde Heury, com a sua voz grave e melodiosa, abanando curiosamente a mão, em um gesto tão seu, que já tinha no tempo de colegial —, sou de parecer que se o homem vivesse plena e totalmente a sua vida, desse forma a todo sentimento, expressão a toda idéia, realidade a todo devaneio... creio que o mundo receberia um novo impulso eufórico, um impulso de alegria que nos faria esquecer todos os males do medievalismo e voltar aos ideais helênicos... talvez a algo mais belo e mais rico do que o próprio ideal helênico. Mas o mais valoroso dos seres humanos tem medo de si mesmo. A mutilação do selvagem subsiste tragicamente na renúncia que nos estraga a vida. Somos punidos pelo que enjeitamos. Todo impulso que nos empenhamos em sufocar incuba no nosso espírito e nos envenena. Peque o corpo uma vez, e estará livre do pecado, porque a ação tem um dom purificador. Nada restará então, salvo a lembrança de um prazer; ou a volúpia de um arrependimento. A única maneira de se livrar de uma tentação é ceder-lhe. Resistamo-lhe, e a nossa alma adoecerá de desejo do que proibimos a nós mesmos, do que as suas leis monstruosas tornaram monstruoso e ilegítimo. Tem-se dito que os grandes acontecimentos do mundo ocorrem no cérebro. Também é no cérebro, e só nele, que ocorrem os grandes pecados do mundo. O senhor mesmo, senhor Gray, com a sua mocidade cor-de-rosa, a sua adolescência de rosa e leite, teve paixões que o assustaram, pensamentos que o encheram de terror; teve, acordado ou dormindo, sonhos cuja simples lembrança o faz corar de vergonha...

— Basta! — balbuciou Dorian Gray. — Basta! O senhor espanta-me. Há resposta às suas palavras; eu, porém, não a encontro. Não fale. Deixe-me pensar. Ou melhor: deixe-me ver se consigo não pensar.

E permaneceu quase dez minutos imóvel, com os lábios entreabertos e um estranho brilho nos olhos. Tinha uma vaga noção de que influências inteiramente novas lhe agiam no íntimo, influências que, no entanto, pareciam provir dele próprio. As poucas frases do amigo de Basil, palavras ditas ao acaso, sem dúvida, cheias de paradoxos voluntários, tinham-lhe tocado alguma corda secreta, nunca dantes vibrada, mas que já agora se agitava e palpitava com pulsações estranhas.

A música o excitava assim. A música o alvoroçara muitas vezes. Mas a música não era articulada. Não era um mundo novo; mais propriamente, foi outro caos o que ela criou em nós. Palavras! Simples palavras! Como são terríveis as palavras! Claras, vívidas, cruéis! Não é possível escapar-se às palavras. E que magia sutil elas encerram! Dir-se-ia que elas podem dar forma plástica às coisas informes e ter música própria, tão suave como a da viola ou do alaúde. Simples palavras! Que é que pode ser tão real como as palavras?

Sim, houvera na adolescência de Dorian coisas que ele não compreendia. Entendia-as nesse momento. Subitamente a vida assumira para ele um colorido vivo. Era como se ele estivesse caminhando através do fogo. Por que não o percebera antes?

Lorde Henry observava-o com o seu malicioso sorriso. Conhecia com perfeição o exato momento psicológico em que convém guardar silêncio. Estava profundamente interessado. Surpreendia-o a impressão repentina causada pelas suas frases. Recordou-se de um livro que lera aos dezesseis anos, um livro que lhe ensinara muitas coisas ignoradas; e perguntou a si mesmo se Dorian Gray estaria passando pela mesma experiência. Ele soltara simplesmente uma seta no ar. Teria dado no alvo? Esse rapaz era uma fascinação!

Hallward ia pintando, com as suas maravilhosas pinceladas, com a sua técnica segura, com o autêntico requinte e a delicadeza consumada que, em arte, só vêm do vigor. Não notara esse silêncio.

— Estou cansado, Basil — disse de repente Dorian. — Vou

um pouco ao jardim. O ar aqui é sufocante.

— Desculpe, meu caro. Quando estou pintando, esqueço tudo. Mas você nunca posou melhor. Esteve perfeitamente quieto. E eu captei o efeito que procurava: os seus lábios entreabertos, a luz do seu olhar. Não sei o que Harry lhe andou dizendo; mas o certo é que o fez tomar uma expressão maravilhosa. Desconfio de que o elogiou bastante. Não acredite em uma palavra do que ele diz.

— Pode estar certo de que ele não me fez elogios. Talvez por isso não acredito em uma palavra do que ele me disse.

— Sabe perfeitamente que acredita — disse lorde Henry, pousando no rapaz os olhos indolentes, sonhadores. — Vamos ao jardim. Faz muito calor no estúdio. Mande servir um refresco gelado, Basil... qualquer coisa com morangos.

— Sem dúvida, Harry. Toque a campainha. Quando Parker atender, peça-lhe o que quiser. Vou trabalhar um pouco este fundo. Irei ter depois com vocês. Não prenda Dorian demais. Nunca me senti mais em forma do que hoje para pintar. Isto vai ser a minha obra-prima. Já, assim, é a minha obra-prima...

Lorde Henry saiu para o jardim. Encontrou Dorian Gray com o rosto enterrado nos lilases, sorvendo-lhes febrilmente o aroma, como se fora vinho.

— Faz muito bem, disse lorde Henry, aproximando-se do rapaz e tocando-lhe no ombro; — Nada pode curar a alma, senão os sentidos; como não há, para curar os sentidos, nada como a alma.

Dorian endireitou-se, sobressaltado. Tinha a cabeça descoberta e folhas enredadas nos anéis revoltos da cabeleira dourada. Havia nos seus olhos algo de apreensivo como quem é despertado de repente. Fremiam-lhe as narinas finamente cinzeladas, e algum nervo escondido lhe fazia tremer os lábios cor de sangue.

— Sim — prosseguiu lorde Henry —, este é um dos grandes segredos da vida: curar a alma, por meio dos sentidos, e os sentidos, por meio da alma. Você é uma criatura maravilhosa. Sabe mais do que pensa que sabe; exatamente como sabe menos do que desejaria saber.

Dorian Gray franziu a testa e voltou a cabeça. Não podia abster-se de simpatizar com o moço alto e elegante que tinha diante de si. Interessava-o esse rosto romântico, azeitonado, essa expressão exausta. E nessa voz grave e lânguida havia uma espécie de fascinação. As mãos de lorde Henry, mãos brancas e frescas como flores, também tinham um encanto singular. Moviam-se, enquanto ele falava, com gestos ritmados, quase musicais; era como se tivessem linguagem própria. Mas Dorian sentia uma espécie de apreensão em presença desse homem; e envergonhava-se dela. Por que haveria de ser um estranho quem o revelaria a si mesmo? Dorian conhecia Basil Hallward havia alguns meses, mas a amizade entre ambos nunca o perturbara. Subitamente surgira-lhe na existência esse desconhecido como que para desvendar-lhe o mistério da vida. Mas por que haveria de ter medo? Não era um colegial nem uma garota. Era absurda a sua apreensão.

— Sentemo-nos à sombra — propôs lorde Henry. — Parker acaba de trazer os refrescos. Se ficar muito tempo ao sol, Basil não poderá pintar um rosto queimado. Realmente, não deve bronzear a pele. Não ficaria bem.

— Que importa?! — exclamou Dorian Gray rindo-se, ao sentar-se no fundo do jardim.

— É muito importante para o senhor, senhor Gray.

— Por quê?

— Porque o senhor é um prodígio de mocidade, e a mocidade tem valor.

— Não tenho essa impressão, lorde Henry.

— Não a tem agora. Um dia, quando estiver velho, enrugado e feio, quando o pensamento lhe houver traçado vincos na testa e a paixão tiver lhe crestado os lábios com o seu fogo detestável, terá a impressão que agora não sente; uma impressão terrível. Atualmente, aonde quer que vá, encanta o mundo. Será sempre assim?... Tem um rosto admiravelmente belo, senhor Gray... não tome essa expressão, estou falando a verdade. A beleza é uma forma de gênio... mais elevada até do que o gênio, pois dispensa explicação. Faz parte dos grandes fatos do universo, como a luz do sol, ou a primavera, ou o reflexo, nas águas escuras, dessa concha de prata a que chamamos lua. A beleza não sofre contestação. Tem o direito divino da soberania. Torna príncipes os que a têm. Sorri, senhor Gray? Ah! Não tornará a sorrir quando perder a beleza... Diz-se por vezes que a beleza é apenas superficial. Talvez seja. Mas, pelo menos, não é superficial como o pensamento. Para mim, a beleza é a maravilha das maravilhas. Só os espíritos fúteis não julgam pelas aparências. O verdadeiro mistério do mundo é o visível e não o invisível... Sim, senhor Gray, os deuses lhe foram propícios. Mas os deuses, o que dão, também prontamente o tiram. O senhor dispõe só de alguns anos para viver deveras, perfeitamente, plenamente. Quando a mocidade passar, a sua beleza ir-se-á com ela; então o senhor descobrirá que já não o aguardam triunfos, ou que só lhe restam as vitórias medíocres que a recordação do passado tornará mais amargas que destroçadas. Cada mês que se escoa o aproximará mais e mais de algo horrível. O tempo tem-lhe inveja e faz guerra aos seus lírios e às suas rosas. O senhor perderá a cor, terá as faces encovadas, o olhar tristonho. Sofrerá horrivelmente... Oh! dê valor à sua mocidade, enquanto a tem. Não malbarate o ouro dos seus dias, escutando os maçadores, tentando remediar o irremediável, desperdiçando a sua vida com o ignorante, o comum e o vulgar. São as finalidades nocivas, os falsos ideais da nossa idade. Viva! Viva a vida maravilhosa que tem em si! Não desperdice sequer as migalhas. Procure sempre sensações novas. Não tema nada... Um novo hedonismo: eis o que quer o nosso século. Um novo hedonismo de que o senhor poderia ser o símbolo visível. Não há nada que não possa fazer com a sua personalidade. O mundo é seu pelo espaço de uma temporada... Mal o avistei, compreendi que não tem consciência do que é na realidade, do que realmente poderia ser. Há no senhor tantas particularidades que me encantam, que me senti compelido a dizer-lhe alguma coisa a seu respeito. "Que tragédia", pensei, "se ele se estragar!" Porque a sua mocidade durará tão pouco... tão pouco! As florezinhas do campo murcham, porém mais tarde revivem. Este laburno estará viçoso no ano próximo como está hoje. Dentro de um mês, a madressilva estará em flor; e, ano após ano, a noite verde das suas folhas estrelar-se-á de corolas. Nós é que não temos outra mocidade. A pulsação vibrante dos vinte anos esmorece. Perdemos o vigor físico, a acuidade dos sentidos. Degeneramos em fantoches hediondos, perseguidos pela recordação das paixões que tanto receávamos, das deliciosas tentações a que não nos animamos a ceder. Mocidade! Mocidade! Nada há no mundo, senão a mocidade!

Dorian Gray escutava, de olhos muito abertos, pensando. O cacho de lilases caiu-lhe da mão no saibro. Uma abelha acudiu, zumbiu um momento em torno das flores e pôs-se a rastejar nos flancos ovais do pequeno globo estrelado. Dorian observava o inseto com o interesse singular pelas coisas triviais que manifestamos quando outras de suma importância nos tornam apreensivos, quando nos alvoroça uma emoção nova, para a qual não encontramos expressão, ou quando alguma idéia que nos apavora assalta-nos subitamente o cérebro, intimando-nos a ceder. Ao termo de instantes, a abelha sumiu-se. Dorian viu-a reaparecer na corola fosca de um arbusto. A flor pareceu estremecer e oscilou brandamente na haste.

De repente, o pintor assomou à porta do atelier, acenando veementemente aos dois que entrassem. Eles se entreolharam sorrindo.

— Estou esperando! — bradou Basil. — Venham! Temos uma luz perfeita. Podem trazer os refrescos.

Lorde Henry e Dorian levantaram-se e enveredaram pela alameda. Duas borboletas verdes e brancas esvoaçaram atrás deles.

Na pereira do canto do jardim, um tordo começou a gorjear.

— Alegra-se de me ter conhecido, senhor Gray? — disse lorde Henry, encarando o companheiro.

— Sim; neste momento, me alegro. Gostaria de saber se folgarei sempre em tê-lo encontrado.

— Sempre! Palavra terrível! Quando a ouço, dá-me arrepios. As mulheres gostam tanto de usá-la! Estragam todo o romance, fazendo-o durar sempre. Palavra sem sentido, aliás. A única diferença entre um capricho e uma paixão eterna é que o capricho dura um pouco mais.

Entrando no estúdio, Dorian Gray pousou a mão no braço de lorde Henry.

— Nesse caso, seja a nossa amizade um capricho — murmurou, corando da sua ousadia.

Voltou ao estrado e retomou a pose.

Lorde Henry afundou-se numa larga poltrona de vime e ficou a contemplá-lo. O vaivém do pincel na tela era o único ruído que rompia o silêncio, exceto nos momentos em que Basil Hallward recuava para olhar o quadro de longe. Nos raios oblíquos que entravam pela porta aberta, dançava a poeira dourada. O aroma forte das rosas parecia impregnar tudo.

Ao termo de um quarto de hora, Basil parou de pintar, olhou longamente Dorian Gray, depois demorou os olhos no retrato, de testa franzida, mordendo a ponta de um dos seus grandes pincéis.

— Está pronto! — bradou enfim.

Curvou-se e traçou com vermelho, em grandes letras, o seu nome, no canto inferior esquerdo da tela.

Lorde Henry levantou-se e examinou o quadro. Era indubitavelmente uma estupenda obra de arte; e de uma fidelidade maravilhosa.

— Felicito-o calorosamente, meu caro amigo — disse. — É o mais belo retrato dos tempos modernos. Venha ver-se, senhor Gray.

O rapaz estremeceu, como se despertasse de um sonho.

— Está pronto realmente? — perguntou, descendo do estrado.

— Pronto — respondeu o artista. — E hoje você posou admiravelmente. Sou-lhe muito grato por isso.

— Graças inteiramente a mim — acudiu lorde Henry. — Não é, senhor Gray?

Dorian não respondeu. Passou negligentemente defronte da sua efígie e voltou-se para admirá-la. Mal pousou o olhar no quadro, recuou e corou de prazer. Uma luz jubilosa lampejou-lhe nos olhos, como se nesse momento se visse pela primeira vez. E estacou imóvel e enlevado, mal percebendo que Basil Hallward lhe falava, sem captar o sentido do que ele dizia. A noção da sua beleza dominava-o como uma revelação. Nunca a tivera antes dessa hora. Sempre tomara os elogios de Basil por um exagero gentil de amigo. Ouvira-os, rira-se deles, esquecera-os. Nunca esses cumprimentos lhe tinham influenciado a índole. Eis que surgia lorde Henry Wotton com o seu singular elogio da mocidade, a terrível advertência da breve duração dessa quadra da vida. Como isso o comovera! E nesse instante em que admirava, extasiado, a sua beleza, como se lhe evidenciava a realidade daquelas palavras! Sim, dia haveria de vir em que o rosto se lhe deformaria, enrugado e murcho, com os olhos emaciados; em que o seu corpo airoso perderia a elegância, a graça dos movimentos. Esmaecer-se-ia o vermelho dos seus lábios, tornar-se-ia fosco o ouro vivo dos seus cabelos. À medida que lhe fosse formando a alma, a vida lhe deformaria o corpo. Ele ficaria horrível, hediondo, grotesco.

A essa idéia, uma dor lancinante trespassou-o como uma punhalada, fez tremer todas as fibras da sua natureza delicada. Os seus olhos escureceram em um tom de ametista, velado por uma névoa de lágrimas. E Dorian teve a sensação gélida de uma mão fria que se lhe pousasse no coração.

— Não lhe agrada? — perguntou Basil afinal, um tanto picado pelo silêncio do rapaz e não lhe entendendo o sentido.

— Agrada-lhe naturalmente! — acudiu lorde Henry. — Quem não gostaria disso? É uma das maiores obras da arte moderna. Dou-lhe tudo o que você me pedir por esse retrato. Tem de ser meu.

— O quadro não é meu, Harry.

— De quem é, então?

— De Dorian, evidentemente — replicou o pintor.

— Homem de sorte!

— Que tristeza! — murmurou Dorian. — Que tristeza! — repetiu, com os olhos cravados na sua efígie. — Eu irei ficando velho, feio, horrível. Mas este retrato se conservará eternamente jovem. Nele, nunca serei mais idoso do que neste dia de junho... Se fosse o contrário! Se eu pudesse ser sempre moço, se o quadro envelhecesse!... Por isso, por esse milagre eu daria tudo! Sim, não há no mundo o que eu não estivesse pronto a dar em troca. Daria até a alma!

— Basil é que não gostaria desta barganha — acudiu, rindo-se, lorde Henry. — A sua tela não ganharia com isso.

— Eu me oporia energicamente, Harry — concordou o artista.

Dorian Gray voltou-se e encarou-o.

— Acredito, Basil. Você preza a sua arte mais do que os seus amigos. Para você não sou mais do que uma figura de bronze azinhavrado. Menos até, estou para dizer.

O pintor olhou-o, surpreso. Dorian não costumava ser assim. Que se passara? O rapaz parecia zangado. Tinha o rosto vermelho, as faces acesas...

— Sim — continuou Dorian —, para você, valho menos do que

o seu Hermes de marfim, do que o seu Fauno de prata. Deles você há de gostar sempre. Por quanto tempo gostará de mim? Enquanto não me aparecer a primeira ruga, suponho. Sei agora que, perdendo a bela aparência, seja muito ou pouco o encanto, perdemos tudo. O seu quadro ensinou-me isso. Lorde Herry Wotton tem toda a razão. No mundo, só vale a mocidade. Quando achar que estou envelhecendo, suicidar-me-ei.

Hallward empalideceu, agarrou a mão do moço.

— Dorian! Não diga isso, Dorian! Nunca tive um amigo como você. Nem terei. Não me dirá que tem ciúme de objetos materiais... Você é mais belo do que qualquer um deles!

— Tenho inveja de todas as coisas cuja beleza não morre. Tenho ciúme do retrato que você fez de mim. Por que ele há de guardar o que perderei? Todo momento que passa tira-me alguma coisa, para dar a ele. Oh! Se fosse possível o inverso! Se o retrato mudasse, e eu fosse sempre o que sou agora! Por que pintou esse quadro? Ele zombará de mim dia a dia... Zombará horrivelmente!

Com os olhos rasos de lágrimas Dorian Gray repeliu o amigo, atirou-se ao divã e enterrou o rosto nas almofadas, como se estivesse rezando.

— Isso é obra sua, Harry — disse Basil, com azedume.

Lorde Henry encolheu os ombros.

— É o verdadeiro Dorian Gray. Apenas isso.

— Não é, não.

— E, se não for, que tenho eu com isso?

— Devia ter saído, quando lhe pedi — murmurou o artista.

— Fiquei, quando me pediu — rebateu lorde Henry.

— Harry, não quero brigar com os meus dois melhores amigos na mesma hora; mas vocês me fazem abominar o meu trabalho mais perfeito; e eu vou destruí-lo. Que é este quadro senão tela e tintas? Não permitirei que ele se atravesse nas nossas vidas e as perturbe.

Dorian Gray levantou da almofada a cabeleira de ouro, o rosto pálido, de olhos ofuscados pelas lágrimas, e seguiu com atenção os movimentos do pintor, que se dirigia para a mesa colocada ao pé da janela. Que iria fazer ali? O moço viu-o enfiar os dedos no amontoado de pincéis, de tubos de tinta, como se procurasse alguma coisa. Procurava sim: a espátula, de lâmina de aço, fina e flexível. Encontrara-a enfim... Ia raspar a tela...

Abafando um soluço, Dorian pulou do sofá, atirou-se a Hallward e arrebatou-lhe a espátula, para arremessá-la ao outro extremo da sala.

— Não, Basil, não! Seria um crime!

— Estimo que aprecie afinal a minha obra, Dorian — disse friamente o pintor, mal se refazendo da surpresa. — Já nem esperava isso.

— Apreciá-la? Sou doido por ela, Basil. Este retrato é uma parte de mim mesmo. É como eu sinto.

— Pois bem, logo que a tinta seque, você vai ser envernizado, emoldurado e enviado à sua casa. Então, fará de si o que quiser.

Hallward atravessou a sala e tocou a campainha, para pedir o chá.

— Toma chá, não é verdade, Dorian? E você também, não é, Harry? Ou não aprova esses prazeres simples?

— Adoro os prazeres simples — disse lorde Henry. — Eles são o último refúgio do complexo. Do que não gosto é de cenas, exceto no palco. Vocês são absurdos! Quem foi que definiu o homem como animal racional? A definição mais prematura que já se formulou. O homem pode ser tudo, menos racional. Por fim de contas, eu estimo que não seja... embora preferisse que vocês não se engalfinhassem pelo retrato. Andaria muito melhor dando-me o quadro, Basil. Esse bobinho não o quer de verdade. Eu, sim.

— Se der o retrato a alguém que não seja eu, nunca o perdoarei, Basil! — gritou Dorian Gray. — E não permito que me chamem de bobinho.

— Sabe que o quadro é seu, Dorian. Já era seu, antes de existir.

— E sabe que foi um pouco tolo, senhor Gray; e que na realidade não o contraria quem lhe lembrar que é extremamente jovem.

— Deveria ter-me oposto a isso esta manhã, lorde Henry.

— Ah! Esta manhã... Desde então você viveu.

Bateram à porta. O mordomo entrou com a bandeja de chá e deixou-a sobre uma graciosa mesinha japonesa. Tilintaram as xícaras e os pires, silvou a chaleira da Geórgia. Duas travessas chinesas em forma de globo foram trazidas por um criado. Dorian adiantou-se e serviu o chá. Os outros dois sentaram-se à mesa e espiaram o que havia nos pratos chineses.

—Vamos ao teatro, logo à noite — propôs lorde Henry. — Há de haver alguma coisa, em alguma parte. Eu deveria jantar no White; prometi-o a um velho amigo. Mas posso mandar um telegrama, alegando que estou indisposto, ou que tomei outro compromisso. Essa desculpa até é melhor; terá todo o imprevisto da ingenuidade.

— É tamanha maçada vestir casaca... — resmungou Hallward. — E ela nos faz tão esquisitos...

— Sim — aprovou distraidamente lorde Henry. O traje do século dezenove é detestável. Escuro, tristonho... O pecado é realmente o único elemento colorido que subsiste na vida moderna.

— Não deveria dizer essas coisas diante de Dorian, Harry.

— Diante de qual Dorian? Do que nos serve o chá, ou do que

está no quadro?

— De qualquer deles.

— Gostaria de ir ao teatro com o senhor, lorde Henry — disse o rapaz.

— Então, irá. E você também, não é, Basil?

— Para falar a verdade, não posso. Chegaria atrasado. Tenho um mundo de coisas para fazer.

— Nesse caso, iremos nós dois, senhor Gray.

— Que maravilha!

O pintor mordeu o lábio. Sem largar a xícara, aproximou-se do quadro.

— Eu ficarei com o verdadeiro Dorian — tornou, um tanto triste.

— Será o verdadeiro Dorian? — acudiu o original, correndo para ele. — Eu sou realmente assim?

— É. Exatamente assim.

— Que beleza, Basil!

— Pelo menos parece-se com ele. Mas o retrato não mudará — suspirou Hallward. — É alguma coisa...

— Quanto estardalhaço em torno da fidelidade! — exclamou lorde Henry. — Ora! Mesmo no amor é puramente questão de fisiologia. Os moços querem ser fiéis e não são; os velhos querem ser infiéis e não podem. É só o que há a dizer.

— Não vá ao teatro esta noite, Dorian — disse Hallward. — Fique para jantar comigo.

— Não posso, Basil.

— Por quê?

—Prometi a lorde Henry Wotton que iria com ele.

— Harry não lhe quererá mal, se você não cumprir a promessa. Costuma faltar às suas. Peço-lhe que não vá.

Dorian Gray sorriu e meneou a cabeça.

— Rogo-lhe.

O rapaz hesitou. Deitou um olhar a lorde Henry, que os observava, da mesa do chá, com um sorriso divertido. E respondeu:

— Tenho de ir, Basil.

— Está bem — rematou o pintor, afastando-se do quadro, para pousar a xícara na bandeja. — É tarde. Como têm de se preparar é preferível não perderem tempo. Até à vista, Harry. Até breve, Dorian. Venha ver-me. Venha amanhã.

— Naturalmente.

— Não se esquecerá?

— É claro que não! — garantiu Dorian.

— E... Harry!

— Que é, Basil?

— Lembre-se do que lhe pedi esta manhã, no jardim.

— Que foi?

— Confio em você.

— Quem me dera confiar em mim! — disse jovialmente lorde Henry. — Vamos, senhor Gray. Tenho o carro à porta. Posso deixá-lo em sua casa. Até breve, Basil. Foi uma tarde interessantíssima.

A porta fechou-se atrás deles. O pintor deixou-se cair num sofá, e uma expressão de dor alterou-lhe o rosto.

CAPÍTULO III

No dia seguinte, meia hora depois do meio-dia, lorde Henry Wotton percorria indolentemente a distância entre Curzon Street e Albany. Ia em visita ao tio, lorde Fermor, velho celibatário jovial, embora um tanto ríspido, egoísta para os que não conseguiam tirar proveito dele. Generoso com a sociedade, era liberal com os que o divertiam. Seu pai fora embaixador em Madri, na mocidade da rainha Isabel e quando ninguém reparava em Prim. Deixara a diplomacia em uma hora de capricho e de despeito por não lhe ser proposta a sede de Paris, posto que a seu ver lhe cabia de direito, pela nascença, pela indolência, pelo inglês correto dos seus ofícios e pelo seu amor desordenado ao prazer. O filho, que fora seu secretário, exonerara-se com ele, talvez levianamente, como se opinara então. Herdando meses depois o título, dedicara-se ao estudo profundo da grande arte aristocrática de não fazer absolutamente nada. Possuía dois grandes prédios na cidade, mas preferia viver em apartamento, que dava menos trabalho; almoçava e jantava no clube. Prestava certa atenção às suas minas de hulha, justificando esse fado industrial com dizer que uma das vantagens de possuir carvão era permitir a um cavalheiro a decência de usar lenha nas suas lareiras. Em política era um conservador, salvo quando esse partido estava no poder, período em que ele o acusava redondamente de ser uma corja de radicais. Era um herói para o seu criado de quarto, que o intimidava; e o terror da maioria dos seus conhecidos, que intimidava por seu turno. Só a Inglaterra o poderia produzir; e ele não se cansava de dizer que o país ia por água abaixo. Os seus princípios estavam fora de moda; mas muito haveria a dizer dos seus preconceitos.

Lorde Henry encontrou o tio na sala, embrulhado em uma jaqueta grosseira de caçador, fumando um charuto e resmungando sobre as páginas do *Times*.

— Então, Harry — disse o velho —, o que o traz tão cedo? Eu julgava que um janota nunca se levantasse antes das duas horas, nem fosse visível antes das cinco.

— Pura afeição familiar, pode estar certo, tio George. Preciso pedir-lhe uma coisa.

— Dinheiro, sem dúvida — tornou lorde Fermor, com uma careta. — Bem. Sente-se e vá dizendo o que é. Os moços de hoje pensam que o dinheiro é tudo.

— É verdade — concordou lorde Henry, ajeitando a lapela do paletó. — E, quando envelhecem, adquirem a certeza. Mas eu não quero dinheiro. Só precisam dele os que pagam as contas, tio George; e eu não pago as minhas. O crédito é o capital do filho mais novo da família; vive-se bem dele. Demais, eu me sirvo sempre com os fornecedores de Dartmoor; e esses não me incomodam. O que venho buscar é informação. Não informação útil, naturalmente; informação inútil.

— Bem. Posso dizer-lhe tudo o que há em um Livro Azul inglês, Harry, se bem que os dos nossos dias estejam plenos de asneiras. No meu tempo de diplomata, as coisas iam melhor. Não é que os diplomatas são escolhidos, hoje, mediante concurso? Que se há de esperar? Os concursos, meu senhor, não passam de trapaças do princípio ao fim. Se um homem é um cavalheiro sempre sabe o suficiente e se não o é, por mais que saiba, pior para ele.

— O senhor Dorian Gray não figura nos Livros Azuis ingleses, tio George — disse indolentemente lorde Henry.

— O senhor Dorian Gray? Quem é? — perguntou lorde Fermor, arqueando as grossas sobrancelhas brancas.

— É o que vim saber, tio George. Ou melhor, eu sei quem é. É o neto mais novo de lorde Kelso. A mãe era uma Devereux; lady Margaret Devereux. Desejo algumas informações a respeito dela. Como era? Com quem casou? No seu tempo, o senhor conheceu tanta gente. Deve ter conhecido essa senhora. Atualmente, o senhor Gray interessa-me muito. Acabo de me encontrar com ele.

— O neto de Kelso... o neto de Kelso... — repetiu o nobre solteirão. — Naturalmente... Conheci intimamente a mãe. Creio que a vi crismar... Moça de extraordinária beleza. Enlouquecia os homens. Fugiu com um fedelho sem vintém... um joão-ninguém, sim, senhor, oficial subalterno de um regimento de infantaria, ou coisa do gênero. Sim, sim, lembro-me do caso, como se houvesse acontecido ontem. O pobre rapaz foi morto em duelo, em Spa, meses depois do casamento. E correram feios boatos a respeito. Dizia-se que Kelso assalariara um brutamontes belga para insultar o seu genro em público. Pagou-o, sim, senhor! Fez isso: pagou o sujeito; e este espetou o pobre diabo como se fosse um pombo. Abafou-se a história. Mas, por Deus! fique sabendo que, por certo tempo, no clube, Kelso comeu a sua costeleta sozinho! Contaram-me que ele levou a filha para casa e que ela nunca lhe tornou a falar. Sim; uma coisa muito desagradável. A menina também morreu dentro de um ano. Então deixou um filho! Eu não me lembrava disso. Como é o rapaz? Se for como a mãe, deve ser muito bonito.

— É muito bonito — afirmou lorde Henry.

— Espero que tenha caído em boas mãos — continuou o velhote. — Terá um barril de dinheiro à sua espera, se Kelso portar-se direito com ele. A mãe também tinha bens próprios. Coube-lhe toda a propriedade de Selby, herança do avô que detestava Kelso e fazia dele o pior conceito. Não era boa coisa, de fato. Esteve uma vez em Madri, quando eu me encontrava lá. Por Deus! Envergonhei-me dele. A rainha costumava perguntar-me pelo fidalgo inglês que vivia brigando com os cocheiros pelo preço das corridas. Chegou a ser uma história. Eu não me atrevi a mostrar a cara na corte um mês inteiro. Esperemos que trate o neto melhor do que os cocheiros de praça.

— Não sei — respondeu lorde Henry. — Creio que ao rapaz não faltará com que viver à larga. Ainda não é maior. Sei que tem Selby. Ele mesmo me disse. Então... a mãe era uma beldade?

— Margaret Devereux foi uma das mulheres mais belas que me lembro de ter visto, Harry. Nunca pude entender o que a levou a fazer o que fez. Poderia escolher o marido que mais lhe agradasse. Carlington era louco por ela. Desconfio que Margaret tinha uma cabecinha romântica. Todas as mulheres da família eram assim. Os homens não vestiam grande coisa. As mulheres, porém... Criaturas maravilhosas! Carlington adorava Margaret. Sempre me dizia. Ela se ria dele; e, naquele tempo, não havia em Londres moça que não corresse atrás de Carlington. A propósito, Harry, falando de casamentos disparatados, que história me contou seu pai sobre Dartmoor querer casar com uma americana? Não há moças inglesas bastantes para ele?

— Está um tanto em moda casar com americanas, tio George.

— Eu defendo as mulheres inglesas contra o mundo, Harry! — disse lorde Fermor, batendo o punho na mesa.

— As americanas estão na ponta.

— Não agüentam muito, pelo que me disseram — resmungou o tio.

— Talvez. Os compromissos demorados esgotam-nas, mas são extraordinárias numa corrida de obstáculos. E apanham as coisas no ar. Eu não imaginava que Dartmoor tivesse oportunidade.

— Quem é a gente dela? — resmungou o velho. — Ela terá família?

Lorde Henry meneou a cabeça.

— As jovens americanas são tão espertas em esconder os seus parentes como as mulheres inglesas em ocultar o seu passado — disse, levantando-se para sair.

— Fabricantes de lingüiça, talvez?

— Tomara que sim, para o bem de Dartmoor! Disseram-me que fabricar conservas de carne de porco é na América a profissão mais rentosa depois da política.

— É bonita?

— Ela se comporta como se fosse. É o que faz a maioria das americanas. Nisso está o segredo do seu encanto.

— Por que as americanas não ficam na sua terra? Não se cansam de nos dizer que é o paraíso das mulheres.

— E é. Motivo por que elas, à semelhança de Eva, empenham-se trabalhosamente em sair de lá — concluiu lorde Henry. — Até breve, tio George. Se me demorar mais, chegarei atrasado ao almoço. Obrigado pela informação que me deu. Eu tenho o vício de querer saber tudo a respeito dos meus novos amigos e nada a respeito dos velhos.

— Onde almoça hoje, Harry?

— Em casa de tia Aghata. Ela me convidou com o senhor Gray. Ele é o seu favorito mais recente.

— Hum! Diga à sua tia Agatha, Harry, que deixe de me cacetear com pedidos. Estou farto deles. A boa mulher pensa que não tenho nada que fazer, senão assinar cheques para lhe custear as manias.

— Está bem, tio George, eu direi; mas esteja certo de que não adiantará. As pessoas filantrópicas perdem toda a noção de humanidade. É o seu característico distintivo.

O nobre solteirão resmungou um "Apoiado!" e tocou a campainha, chamando o criado. Lorde Henry atravessou a arcada baixa que dava para Burlington Street e encaminhou-se para Berkeley Square.

Essa história do parentesco de Dorian... Mesmo sucintamente como lhe fora contada, causava-lhe uma curiosa impressão de novela moderna. Uma bela mulher, arriscando tudo por uma paixão cega. Algumas semanas de felicidade veemente, cortadas por um crime traiçoeiro, hediondo. Meses de agonia muda, o garoto nascendo dessa dor, a mãe levada pela morte, o filho abandonado à solidão, à tirania e ao desamor de um velho... Sim, um fundo interessante. Dava relevo ao rapaz, tornava-o mais perfeito. Atrás de toda coisa bela, há sempre um quê de trágico. Para que desabroche a mais insignificante das flores, é necessário o trabalho de mundos... Que encanto esse Dorian no jantar da véspera, sentado à mesa do clube, com uns olhos maravilhosos, os lábios entreabertos em um sorriso tímido e contente, e o reflexo do quebra-luz vermelho roseando-lhe mais a beleza rara do rosto. Falar-lhe era tanger as cordas de um delicado violino. Dorian respondia a todo toque e vibração do arco... Influenciar alguém é um exercício empolgante. Nenhuma outra atividade se lhe assemelha. Projetar a nossa alma em um molde gracioso, deixá-la ficar ali um instante, receber o eco do nosso modo de ver, com o acompanhamento de música apaixonada e juvenil. Insuflar em outro ser o nosso temperamento, como se fosse um fluido sutil ou um perfume caro, é uma verdadeira alegria, talvez a satisfação mais intensa que nos resta, em um século tão limitado e vulgar como o nosso, um tempo boçalmente carnal nos prazeres, grosseiramente vulgar nos objetivos... Era um maravilhoso tipo esse rapaz que um acaso singular lhe pusera em presença no atelier de Basil, ou pelo menos poderia ser plasmado num tipo maravilhoso. Tinha a graça, a pureza ingênua da adolescência e a beleza de certos antigos mármores gregos. Não havia o que não se pudesse fazer dele. Dorian poderia dar um titã ou um joguete. Era pena que semelhante beleza fosse condenada a fenecer!... E Basil? Como era interessante do ponto de vista psicológico! A sua nova maneira artística, o novo modo de encarar a vida, sugeridos tão singularmente pela simples presença visível de um homem que nem desconfiava disso: o espírito silencioso que se escondia numa paisagem e que se adiantava, despercebido, para mostrar-se de repente em campo aberto, como se fora uma ninfa, sem temor, porque despertara, na alma que o buscava, a visão prodigiosa a que se revelam as coisas belas; os moldes e contornos simples adquirindo por assim dizer uma espécie de requinte de valor simbólico, tal como se fossem formas e contornos de outros espécimes mais perfeitos, cuja sombra convertessem em realidade. Como tudo isso era estranho! Lorde Henry lembrou-se subitamente de alguma coisa assim na história. Não fora Platão, esse artista do pensamento, o primeiro que a analisara? Não fora Buonarroti que a esculpira nos mármores coloridos de uma seqüência de sonetos? No nosso século, porém, era uma singularidade... Sim, ele tentaria ser para Dorian Gray o que — sem o perceber — Dorian Gray era para o pintor que o retratara naquele quadro estupendo. Procuraria dominá-lo — já estava em verdade a caminho de realizar esse intento —; atrairia para a sua alma esse espírito maravilhoso. Alguma coisa o fascinava nesse filho do amor e da morte...

Lorde Henry parou de improviso, relanceou um olhar pelos prédios próximos. Ultrapassara a casa da tia. Sorriu e voltou atrás. Acolhendo-o no *hall* escuro, o mordomo advertiu-o de que o almoço já fora servido. Lorde Henry entregou-lhe o chapéu e a bengala e entrou na sala de jantar.

— Atrasado, como sempre, Harry! — bradou-lhe a tia, meneando desconsoladamente a cabeça.

Ele apresentou uma desculpa banal. Sentou-se na cadeira vazia ao lado de lady Agatha e correu o olhar pelos comensais. Dorian acenou-lhe timidamente da ponta da mesa, corando de prazer. Em frente a ele, sentava-se a duquesa de Harley, dama de temperamento bondoso e sereno, querida de quantos a conheciam e dotada das amplas proporções que, em senhoras não duquesas, os historiadores contemporâneos definem como obesidade. À direita de lady Harley, Sir Thomas Burdon, membro radical do Parlamento, que, na vida pública, ia na esteira do seu líder e, na particular, norteava-se pelos melhores cozinheiros, jantando como os *tones,* pensando como os liberais, segundo norma de proceder sábia e notória. O lugar à esquerda coubera ao senhor Erskine de Treadley, um velho de grande afabilidade e cultura, que adquirira o mau hábito de ter acessos de silêncio, pois — como explicara um dia a lady Agatha — dissera tudo o que tinha a dizer antes dos trinta anos. Vizinha desse cavalheiro era a senhora Vandeleur, uma das mais velhas amigas de tia Agatha, perfeita santa entre as mulheres, mas tão entrouxada, que lembrava um livro de orações mal encadernado. Felizmente para o senhor Erskine, essa dama tinha do outro lado lorde Faudel, mediocridade inteligente e madura, calvo como uma declaração ministerial na Câmara dos Comuns, com quem a santa conversava, sem quebrar aquele ar de seriedade solene que é o erro imperdoável das criaturas puras e do qual nenhuma delas está completamente imune.

— Estamos falando do pobre Dartmoor, lorde Henry — exclamou a duquesa, com um sinal amável. — Será mesmo que ele se casa com essa jovem beldade?

— Creio que ela resolveu pedi-lo em casamento, duquesa.

— Que horror! — clamou lady Agatha. — Realmente, alguém deveria intervir.

— Sei de fonte autorizada — disse, com ar severo, Sir Thomas Burdon — que o pai tem uma loja de tecidos americanos.

— Meu tio já falou de uma fábrica de conservas de porco, Sir Thomas.

— Tecidos! Que são os tecidos americanos? — perguntou a duquesa, erguendo as mãos rechonchudas em um gesto de espanto e acentuando o verbo.

— Novelas americanas — respondeu lorde Henry, servindo-se do prato de codornizes.

A duquesa olhou-o intrigada.

— Não faça caso — cochichou-lhe lady Agatha. — Ele não pensa nada do que diz.

— Quando se descobriu a América... — principiou o deputado radical.

E desfiou um rosário de histórias insípidas. Como todo orador que pretende exaurir um assunto, estafou os ouvintes. A duquesa suspirou e, valendo-se do seu privilégio de apartear, exclamou:

— Quem nos dera que nunca a tivessem descoberto! Realmente, hoje as nossas jovens não têm oportunidades. É uma injustiça.

— Talvez se possa dizer que a América nunca foi descoberta — interveio o senhor Erskine. — Eu diria que só se tem desconfiado da sua existência.

— Oh! Mas temos visto espécimes das suas habitantes — tornou distraidamente a duquesa. — Devo confessar que, em geral, são muito bonitas. E vestem-se bem. Mandam vir os vestidos de Paris. Quem me dera poder fazer o mesmo!

— Costuma-se dizer que os bons americanos, quando morrem, vão para Paris — observou, com uma risadinha Sir Thomas, bom colecionador de anedotas surradas.

— Sim? E para onde vão os maus americanos, quando morrem? — indagou a duquesa.

— Para a América — murmurou lorde Henry.

Sir Thomas franziu o rosto.

— Desconfio, lady Agatha, que o seu sobrinho tem prevenção contra esse grande país. Eu o percorri todo em transportes fornecidos pelos dirigentes, que, nisso, são extremamente urbanos. Asseguro-lhes que uma visita àquelas terras é sumamente instrutiva.

— Mas, realmente, para nos instruirmos, precisamos ver Chicago? — perguntou a voz queixosa do senhor Erskine. — Não me sinto com forças para a viagem.

— O senhor Erskine de Treadley tem o mundo na sua biblioteca — sentenciou Sir Thomas, com um gesto largo. — Nós, os homens práticos, preferimos ver as coisas a ler o que se escreve sobre elas. Os americanos são um povo extremamente interessante, absolutamente sensato. A meu ver, a sua característica peculiar é justamente ser sensato. Garanto-lhes que os americanos não sabem o que é estouvamento.

— Que barbaridade! — exclamou lorde Henry. — Admito a força bruta; mas a razão bruta é intolerável. Usá-la é deslealdade, é rebaixar a inteligência.

— Não o entendo — objetou Sir Thomas, corando um pouco.

— Eu compreendo, lorde Henry — murmurou Erskine, sorrindo.

— Os paradoxos são admissíveis, até certo ponto... — acrescentou o baronete.

— Será isso um paradoxo? — redargüiu Erskine. — Não me parece. Talvez seja. Mas o caminho dos paradoxos é o caminho da verdade. Para testar a verdade, precisamos vê-la na corda bamba. É quando as verdades se tornam acrobatas que podemos julgá-las.

— Senhor! — interveio lady Agatha. — Em que termos discutem os homens! Juro que eu nunca entenderia nada do que eles dizem... Oh! Harry, estou mal com você! Por que tenta dissuadir o nosso gentil Dorian Gray de ir ao East End? Ele seria um auxiliar inestimável. A sua música encontraria muito apreço.

— Quero que ele toque para mim — replicou lorde Henry, sorrindo.

E colheu, no extremo da mesa, um olhar cintilante de assentimento.

— Mas há tanta miséria em Whitechapel! — tornou lady Agatha.

— Posso ser solidário com tudo, menos com o sofrimento — disse lorde Henry encolhendo os ombros. — Tenho-lhe aversão. O sofrimento é hediondo, horrível, desalentador. Nessa simpatia moderna pela dor, há qualquer coisa de mórbido. O que se deve estimular é a cor, o belo, a alegria de viver. Quanto menos se aludir às tristezas da vida, tanto melhor.

— Apesar de tudo, o East End é um problema que o preocupa — observou Sir Thomas, sacudindo gravemente a cabeça.

— Exatamente — concordou o jovem lorde. — É o problema da escravatura; e nós procuramos resolvê-lo, divertindo os escravos.

O político olhou-o atentamente, e perguntou:

— Que mudança propõe, então?

Lorde Henry Wotton riu-se.

— Eu não desejo mudar nada na Inglaterra, salvo o clima. Satisfaz-me plenamente a contemplação filosófica. Mas, dado que o século dezenove faliu por desperdício de simpatia, sugiro que apelemos para a ciência, a fim de que ela nos ponha nos eixos. A vantagem das emoções é que elas nos desencaminham; a vantagem da ciência é não ser emotiva.

— As nossas responsabilidades são grandes — arriscou timidamente a senhora Vandeleur.

— Tremendas... — fez eco lady Agatha.

— A humanidade toma-se muito a sério — disse lorde Henry, voltando-se para Erskine. — É o pecado original do mundo. Se o homem das cavernas soubesse rir, a história seria diferente.

— O senhor consola-me — sussurrou a duquesa. — Eu sempre vinha ver sua tia com certo remorso, porque não me interesso absolutamente pelo East End. De ora em diante, poderei aparecer-lhe sem corar.

— Um leve rubor fica bem, duquesa — observou lorde Henry.

— Só às moças — replicou ela. — O rubor, em uma velha como eu, é péssimo sinal. Ah! Lorde Henry, se me ensinasse o meio de remoçar!

Ele refletiu um instante. E perguntou, encarando-a:

— Lembra-se de algum erro grave que tenha praticado na primeira juventude, duquesa?

— Ai de mim! Lembro-me de vários...

— Pois reincida neles — tornou lorde Henry, com o ar mais sério. — Para voltarmos à mocidade, basta-nos repetir as nossas loucuras.

— Teoria deliciosa! — exclamou a dama. — Vou ver se a ponho em prática.

— Teoria perigosa! — disse Sir Thomas entre dentes.

Lady Agatha meneava a cabeça; mas não pôde deixar de divertir-se. Erskine escutava.

— Sim — continuou lorde Henry —, eis um dos grandes segredos da vida. Nos nossos dias, a maioria dos homens morre de uma espécie de senso comum rasteiro; e descobre, quando já é demasiado tarde, que as únicas coisas de que nunca nos arrependemos são as nossas tolices.

Espocou uma risada que se propagou à mesa inteira.

Lorde Henry brincava com a idéia e prolongava esse capricho; arremessava-a ao ar, transformava-a; deixava-a escapar e capturava-a de novo; matizava-a de fantasia e dava-lhe asas com paradoxos. Continuando a discorrer, fazia do elogio da loucura uma filosofia. E a filosofia remoçava, entrava na roda doida do prazer; tinha-se a impressão de a ver dançar, coroada de hera, com a roupagem manchada de vinho, como uma bacante, nos cumes da vida, escarnecendo do Sileno lerdo e da sua sobriedade. Os fatos fugiam diante dela, como seres ariscos de uma floresta. Os seus pés alvos premiam o lugar enorme, onde domina Omar, o sábio, até ver o sumo dos cachos cingir-lhe os membros nus de ondas borbulhantes e purpurinas, ou quebrar em espumas rubras, nos flancos negros, gotejantes resvaladiços da tina. Era uma improvisação extraordinária. Lorde Henry sentia os olhos de Dorian Gray fixos nele. A consciência de haver entre os seus ouvintes um, cujo temperamento ele visava a fascinar, dava-lhe por assim dizer mais agudeza, emprestava colorido à sua imaginação, tornava-o brilhante, fantasista, frívolo. Lorde Henry enfeitiçava o auditório, e este seguia-lhe, rindo, a flauta mágica. Dorian não desprendia os olhos do seu novo amigo. Ouvia-o como sob o efeito de um encantamento; os sorrisos sucediam-se-lhe nos lábios; a admiração intensificava-se nos seus olhos.

A realidade penetrou enfim na sala, nas vestes do século, sob a forma dum criado que vinha advertir a duquesa de que a carruagem a esperava. A dama torceu as mãos, em um gesto de desespero jovial.

— Que maçada! Tenho de ir. Vou buscar meu marido no clube, para o levar a não sei que reunião que ele terá de presidir. Não posso atrasar-me, ou ele esbravejará; e este meu chapéu não se presta para agüentar uma cena; é muito frágil; uma palavra rude o estragaria. Tenho de ir mesmo, prezada Agatha. Adeus, lorde Henry. O senhor é delicioso e desmoralizador. Não sei ao certo que hei de pensar das suas teorias. Vá jantar conosco uma destas noites. Terça-feira? Está livre na terça-feira?

— Por sua causa, duquesa, eu desistiria de tudo.

— Ah! Isso é muito bonito e muito feio! Veja se não falta.

A duquesa saiu apressada, seguida por lady Agatha e as outras senhoras. Lorde Henry tornou a sentar-se. Erskine foi sentar-se junto dele e pousou-lhe a mão no braço.

— Fala de livros — disse. — Por que não escreve um?

— Gosto demais de os ler, para os escrever, senhor Erskine. Não há dúvida de que folgaria de escrever uma novela; uma novela que fosse bonita como um tapete persa e igualmente falsa. Na Inglaterra, porém, não há público literário, senão para jornais, livros de reza e enciclopédias. De todos os povos do mundo, o inglês é o menos dotado para captar a beleza da literatura.

— Desconfio de que tem razão — tornou Erskine. — Eu tive ambições literárias, mas há muito as abafei. E agora, meu caro e jovem amigo, se me permite chamá-lo assim, posso perguntar-lhe se crê realmente no que nos disse no almoço?

— Esqueci totalmente o que disse — respondeu lorde Henry, sorrindo. — Seria tão mau assim?

— Muito mau, de fato. Considero-o extremamente perigoso; se acontecer alguma coisa à nossa boa duquesa, nós o consideraremos o principal responsável. Mas eu gostaria de conversar com o senhor sobre a vida. A geração em que nasci era maçante. Algum dia, quando estiver cansado de Londres, venha a Treadley e exponha-me a sua filosofia do prazer sobre um raríssimo Borgonha que tenho a sorte de possuir.

— Muito obrigado. Essa visita será um privilégio. Treadley tem um anfitrião perfeito e uma biblioteca completa.

— O senhor a completará — disse o velho gentil-homem, inclinando-se cortesmente. — E agora eu vou dizer adeus à sua ótima tia. Tenho de ir ao Ateneu. É a hora em que lá ferramos no sono.

— Todos, senhor Erskine?

— Todos. Quarenta, em quarenta poltronas. Estamos treinando para a Academia Inglesa de Letras.

Lorde Henry Wotton riu e levantou-se.

— E eu vou ao parque.

Quando saía, Dorian Gray tocou-lhe o braço e murmurou:

— Permita que eu vá com o senhor.

— Mas você não prometeu ir ver Basil Hallward? — redargüiu lorde Henry.

— Preferiria ir com o senhor. Sinto que devo ir. Consinta! E prometa falar-me o tempo todo. Ninguém sabe dizer as coisas maravilhosas que o senhor diz.

— Oh! Já falei demais por hoje — replicou lorde Henry, sorrindo. — O que eu quero agora é olhar a vida. Venha e observe-a comigo, se faz questão.

CAPÍTULO IV

Passara-se um mês.

Uma tarde, Dorian Gray estava recostado em uma cômoda poltrona da pequena biblioteca de lorde Henry, em Mayfair. Ambiente luxuoso e bem decorado, com guarnições de carvalho, chão forrado de feltro cor de tijolo, avivado por tapetes persas de longas franjas. Em uma mesinha de paucetim, uma estatueta de Clódion; ao lado dela, um exemplar de *Les cent nounelles* encadernado por Clovis Eve para Margarida de Valois. Uma encadernação ornada com as margaridas de ouro que a rainha escolhera para emblema. No frontispício, vasos de porcelana azul e tulipas furta-cor. Pelas vidraças da janela, entrava em jorros a luz cor de damasco de uma tarde de verão em Londres.

Lorde Henry ainda não chegara. Sempre atrasado, por princípio, pois seu princípio era que a pontualidade é ladra de tempo. Dorian esperava, um tanto contrariado, folheando as páginas de uma edição de *Manon Lescaut* ricamente ilustrada, que encontrara em uma estante. O tique-taque formal e monótono do relógio Luís XIV exasperava-o. Uma ou duas vezes, ele pensara em sair.

Afinal, ouviu passos, e a porta abriu-se.

— Como vem atrasado, lorde Henry — murmurou o moço.

— Desconfio que não é Harry, senhor Gray — respondeu-lhe uma voz fina.

Dorian voltou-se rapidamente e levantou-se logo.

— Queira perdoar. Pensei...

— Pensou que fosse o marido. É apenas a mulher. Permita que me apresente. Conheço-o perfeitamente petas fotografias. Creio que meu marido deve ter umas dezessete.

— Dezessete, minha senhora?

— Bem, digamos dezoito. E eu o vi com ele, noites atrás, na ópera.

A moça falava com jovialidade nervosa, examinando o rapaz, com os seus olhos de miosótis. A esposa de lorde Wotton era uma criatura singular, cujas roupas se diriam feitas com fúria e vestidas aos repelões. Constantemente apaixonada, como não lhe retribuíam a paixão, conservava as ilusões. Timbrava em parecer pitoresca e só conseguia ser desalinhada.

Chamava-se Victoria e tinha a mania de visitar igrejas.

— Na noite do *Lohengrin,* não é, lady Henry?

— Sim, na noite do meu querido *Lohengrin.* Ninguém aprecia mais do que eu a música de Wagner. Faz tanto barulho, que é possível conversar o tempo todo, sem que ninguém se volte para olhar-nos. Uma vantagem, não é, senhor Gray?

O mesmo riso cascateou-lhe dos lábios, em nervoso *staccato,* e os seus dedos puseram-se a brincar com o corta-papel de tartaruga.

Dorian sorriu e meneou a cabeça.

— Perdoe, se não sou da sua opinião, lady Henry. Eu não converso, quando se faz música; pelo menos quando se faz boa música. Quando se escuta música ruim, é nosso dever abafá-la com a conversação.

— Ah! Uma das idéias de Harry, não, senhor Gray? Eu sempre ouço as idéias de Harry repetidas pelos seus amigos. É o único meio de chegar a conhecê-las. Não creia, porém, que eu não goste de boa música. Adoro-a, pelo contrário; mas tenho medo dela, porque me torna muito romântica. Idolatrei simplesmente os pianistas... às vezes, dois de uma vez, diz Harry. Não sei o que há neles... talvez, porque são estrangeiros. Todos estrangeiros, não é verdade? Mesmo os nascidos na Inglaterra ao cabo de certo tempo ficam forasteiros, não acha? Habilidade deles, e uma grande homenagem à arte. Torna-a absolutamente cosmopolita, não é? Nunca esteve nas minhas recepções, não é verdade, senhor Gray? Pois deve vir. Não posso dar-me ao luxo de ter orquídeas; mas creia: não poupo despesas com forasteiros. Eles dão à sala um aspecto pitoresco... Mas aí está Harry!... Vim à sua procura, Harry, para lhe perguntar uma coisa — que aliás, já esqueci. E encontrei aqui o senhor Gray. Conversamos agradavelmente sobre música. Temos exatamente as mesmas idéias. Não; as nossas idéias diferem completamente. Mas o senhor Gray foi muito amável. Folgo de tê-lo conhecido.

— E eu estou encantado, meu amor, encantado — disse lorde Henry arqueando as sobrancelhas negras e considerando os dois, com um sorriso divertido. — Desculpe o meu atraso, Dorian. Andei procurando um retalho de brocado antigo, em Wardour Street, e tive de regatear várias horas para consegui-lo. Hoje, essa gente sabe o preço de tudo e o valor de nada.

— Bem. Creio que me vou — exclamou lady Henry, quebrando com uma súbita risadinha o silêncio constrangido. — Prometi passear com a duquesa. Adeus, senhor Gray; até breve, Harry. Você janta fora, não? Eu também. Talvez nos vejamos em casa de lady Thornbury.

— Talvez, querida — respondeu-lhe o marido, fechando a porta, quando ela, com um jeito de passarinho que apanhou muita chuva, correu para fora da sala.

Então, ele acendeu o cigarro e atirou-se ao sofá.

— Nunca se case com uma mulher de cabelos cor de palha, Dorian — disse, após algumas baforadas.

— Por quê, Harry?

— São tão sentimentais!

— Mas eu gosto das pessoas sentimentais.

— O melhor é não casar, Dorian. Os homens casam-se de cansaço; as mulheres, de curiosidade. Ambos decepcionam-se.

— É pouco provável que eu me case. Estou muito apaixonado. É um dos seus aforismos que estou pondo em prática, Harry, como faço com tudo o que você diz.

— Apaixonado por quem? — perguntou lorde Henry, ao termo de uma pausa.

— Por uma atriz — informou Dorian, corando.

— Quem é ela?

— Chama-se Sibyl Vane.

— Nunca ouvi esse nome.

— Ninguém ouviu. Mas há de ouvir um dia. Ela é um gênio.

— Meu filho, mulher nunca é um gênio. As mulheres são um sexo decorativo. Nunca têm nada a dizer, mas falam que é um encanto. As mulheres representam o triunfo da matéria sobre o espírito; exatamente como os homens representam o triunfo do espírito sobre a moral.

— Harry!...

— Meu caro Dorian, é a pura verdade. Dedico-me agora a analisar as mulheres. Logo, devo saber. O argumento não é tão obscuro como julguei que fosse. Descobri ultimamente que só há duas espécies de mulheres: as simples e as maquiladas. As simples são muito úteis. Se quiser ganhar fama de homem respeitável, convide essas para jantar. As outras são encantadoras. Apesar disso, cometem um erro: pintando-se, tentam parecer jovens. As nossas avós pintavam-se para terem uma conversação interessante. O *rouge* e o espírito costumavam andar juntos. Isso passou. Enquanto consegue parecer dez anos mais nova do que a filha, qualquer mulher está plenamente satisfeita. No tocante à conversação, em Londres há só cinco mulheres com quem vale a pena conversar; e duas delas não são admitidas na sociedade decente. Mas fale-me do seu gênio. Há quanto tempo a conhece?

— Ah! Você me assusta, Harry!

— Não faça caso. Há quanto tempo a conhece?

— Há umas três semanas.

— Onde a encontrou?

— Eu lhe direi, Harry. Mas veja se não faz troça. Afinal de contas, isso não aconteceria, se eu não o tivesse conhecido. Você me comunicou um desejo frenético de conhecer a fundo a vida. Nos dias seguintes ao nosso encontro, eu tinha a sensação de que alguma coisa me latejava nas veias, Atravessando o parque, perambulando em Piccadilly, eu olhava os passantes, com uma vontade louca de saber como era a vida deles. Alguns me fascinavam; outros me metiam certo medo. Andava no ar um veneno delicioso e em mim a paixão pelas sensações... Bem; uma tarde, pelas sete horas, resolvi sair em busca de alguma aventura. Sentia que esta nossa Londres monstruosa e enfumaçada, com o seu formigueiro de gente, os seus sórdidos pecadores e os seus esplêndidos pecados, como você a definiu uma vez, devia ter algo guardado para mim. Imaginei mil coisas. Só de pensar num perigo era uma delícia. Lembrei do que você me disse, naquele serão maravilhoso, em que jantamos juntos a primeira vez; isto é: que a pesquisa do belo é o verdadeiro segredo da vida. Não sei o que pretendia pesquisar. O que sei é que saí e desatei a andar a esmo. Cedo me desgarrei num labirinto de vielas escuras, de praças sem gramados. Pelas oito e meia, passei por um teatrinho absurdo, resplandecendo com lampiões de gás e cartazes coloridos. Um judeu horrível, com o colete mais extravagante que já vi, estava à entrada, fumando um charuto ordinário. Usava brilhantina nos cabelos crespos e um enorme diamante no peito sujo da camisa. "Um camarote, senhor?", propôs, mal me avistou, tirando obsequiosamente o chapéu. Tinha qualquer coisa que me divertia, Harry. Era um monstro. Você vai rir-se de mim, eu sei; mas a verdade é que entrei e deilhe um guinéu pela frisa do proscênio. Até hoje não sei por que fiz aquilo. Entretanto, se o não fizesse... meu caro Harry... se o não fizesse, teria perdido o mais extraordinário romance da minha vida. Não se ria! Isso é feio!

— Não estou rindo, Dorian; pelo menos, não me rio de você. Mas não diga " o romance mais extraordinário da minha vida". Sempre há de ser amado e sempre estará apaixonado pelo amor. A "grande paixão" é o privilégio dos que não têm o que fazer. É a única utilidade da classe ociosa de um país. Não se preocupe. Há delícias guardadas para você. Isso é apenas o princípio.

— Julga-me uma índole tão superficial? — exclamou Dorian, indignado.

— Não, julgo-o um caráter profundo.

— Que quer dizer?

— Os que amam só uma vez na vida é que são superficiais, meu rapaz. O que eles chamam de lealdade e fidelidade é a meu ver letargia do hábito ou falta de imaginação. A fidelidade é para a vida emotiva o que a coerência é para a vida intelectual: simplesmente uma confissão de insucessos. Fidelidade! Ainda hei de analisá-la um dia. Entra nela o amor da propriedade. Há muitas coisas que jogaríamos fora, se não temêssemos que outrem as pudesse aproveitar. Mas não quero interrompê-lo. Continue a sua história.

— Pois bem: vi-me sentado em uma espécie de camarim, defronte do pano de boca mais vulgar. Detrás do pano, espiei a casa. Uma coisa banal, eriçada de cupidos e de cornucópias, como um bolo nupcial de terceira ordem. A galeria e a platéia, superlotadas; mas as duas ordens de camarotes, quase vazias. E raramente uma pessoa no que se atrevem a denominar balcão nobre. As mulheres entravam com laranjas e bebidas, e havia um consumo terrível de nozes.

— Como no bom tempo do drama inglês...

— Foi o que me ocorreu; e não era consolador. Perguntava a mim mesmo o que fazia ali, quando avistei o cartaz. Adivinhe que peça se representava, Harry!

— Sei lá!... O *jovem idiota* ou *O mundo inocente.* Os nossos avós gostavam desses títulos. Quanto mais vivo, Dorian, mais percebo que o que servia aos nossos pais não serve para nós. Em arte, em política, *les grand pères ont toujours tort**. Acredite: nunca concordamos com o ponto de vista de vovô.

— A peça era muito boa, mesmo para nós, Harry. *Romeu e Julieta.* Confesso que a princípio me desgostou a idéia de ver Shakespeare estropiado naquela pocilga. Ainda assim, tinha certa curiosidade. Fosse como fosse, resolvi esperar o primeiro ato. Uma orquestra horrível, regida por um moço judeu sentado a um piano decrépito, já me ia induzindo a sair, quando afinal se ergueu o pano e a peça começou. Romeu era um cavalheiro corpulento e respeitável, de sobrancelhas de rolha chamuscada, voz rouca de tragédia e corpo de barril de cerveja. Mercúcio não era muito melhor, personificado pelo cômico boçal que interpelava ditos de sua lavra e estava nos melhores termos com a platéia. Os dois, tão grotescos como o cenário de barracão de feira. Agora, Julieta...! Imagine, Harry, uma menina de uns dezessete anos, com um rostinho de flor, uma cabecinha grega de tranças castanhas, olhos violeta que eram poços de amor, lábios de pétalas de rosa... A criatura mais linda que eu já vira. Você me disse uma vez que é insensível aos rasgos patéticos, mas que a beleza, a beleza singela, pode encher-lhe os olhos de lágrimas. Digo-lhe, Harry, que não podia olhar essa menina sem sentir os olhos úmidos. E a voz... Eu nunca ouvira uma voz assim. Grave a princípio, de notas cheias e cariciosas que se insinuavam no ouvido, subia depois a sons de flauta, de oboé distante. Na cena do jardim tinha toda a vibração extasiada dos rouxinóis, cantando antes do alvorecer. Depois, em certos momentos adquiria a veemên-

* Os avós nunca têm razão.

cia apaixonada do violino. Sabe como uma voz pode comover. A sua voz e a voz de Sibyl Vane são duas impressões que nunca esquecerei. Se fecho os olhos, ouço-as; e cada uma delas me diz uma coisa diferente. Não sei qual devo escutar. Por que não haveria de amar Sibyl? E eu a amo, Harry. Ela é tudo para mim na vida. Noite após noite, eu tenho ido ao teatro, para vê-la representar. E, toda noite, ela é outra personagem. Já a vi morrer, na penumbra de um sepulcro italiano, sugando o veneno dos lábios do amado; ou vaguear na floresta das Ardenas disfarçada de belo adolescente em calções, gibão e gorro. Ela já foi demente, já foi à presença de um velho rei culpado e deu-lhe ervas para usar e provar. Foi uma criatura inocente que as mãos tétricas do ciúme estrangularam. Já a vi em todas as idades e em todos os trajes. As criaturas vulgares não nos impressionam a imaginação. Ficam limitadas ao seu século. Nenhum encanto as pode transfigurar: Conhecemo-lhes o espírito como os chapéus. Elas passeiam no parque de manhã e tomam chá, tagarelando à tarde. Têm sorrisos estereotipados e boas maneiras. São transparentes. Mas uma atriz! Como é diferente uma atriz, Harry. Por que não me diz que só vale a pena amar uma atriz?

— Porque amei muitas delas, Dorian.

— Oh! sim! Cabelos tingidos, caras pintadas...

— Não faça tão pouco dos cabelos tingidos, dos rostos caracterizados. Às vezes, podem ter um encanto raro — observou lorde Henry.

— Antes eu não lhe falasse de Sibyl Vane!

— Não poderia deixar de falar, Dorian. Pela vida afora, você me informará sempre de tudo o que fizer.

— Sim, Harry. Creio que tem razão. Não posso abster-me de lhe dizer coisas. Você tem uma influência curiosa sobre mim; se cometesse um crime, eu o confessaria a você. Entende-me, não?

— Os seres da sua espécie (os sóis caprichosos da vida) não praticam crimes, Dorian. De qualquer maneira, sou-lhe muito grato pelo elogio. E agora, diga... seja bonzinho e alcance-me esses fósforos. Obrigado... quais são atualmente as suas relações com Sibyl Vane?

Dorian Gray levantou-se subitamente, vermelho, com os olhos acesos.

— Harry! Sibyl Vane é sagrada!

— Só as coisas sagradas merecem ser tocadas, Dorian — disse lorde Henry, com uma estranha inflexão patética na voz. — Mas por que se zanga? Suponho que ela lhe pertencerá qualquer dia. O apaixonado começa iludindo-se a si próprio e acaba enganando os outros. Eis o que o mundo chama um romance. Seja como for, você conhece a moça, não?

— Conheço-a, naturalmente. Na primeira noite que entrei no teatro, o judeu hediondo rondava-me a frisa, depois do espetáculo; ofereceu-se para me levar aos bastidores e apresentar-me a Julieta. Respondi, furioso, que Julieta morreu há séculos e descansa num túmulo de mármore em Verona. Pela cara dele, desconfio que me tomou por um que se excedera no champanha, ou em outra coisa.

— Não me admira.

—Insistiu, então, em saber se eu escrevia em algum jornal. Respondi que nem os lia. O homem pareceu muito desapontado e soprou-me que a crítica dramática em peso era contra ele e o remédio era comprar os críticos um por um.

— Não me admiraria que ele falasse a verdade sobre esse ponto. Por outro lado, a julgar pelas aparências, a maioria deles nem deveria sair muito cara.

— Entretanto é de crer que ele me houvesse achado acima dos seus meios — gracejou Dorian. — Já então as luzes do teatro estavam sendo apagadas e tive de sair. O judeu quis dar-me uns charutos que recomendava calorosamente. Recusei. Logo na outra noite, naturalmente, voltei lá. O homem reconheceu-me, cumprimentou-me respeitosamente, chamando-me de generoso patrono da arte. Era o bruto mais antipático, apesar da sua extraordinária paixão por Shakespeare. Disse-me um dia, com um ar de orgulho, que as suas cinco falências se deviam inteiramente ao Bardo, como insistia em chamá-lo. Era como se as julgasse uma distinção.

— E era uma distinção de fato, meu caro Dorian... uma grande distinção. Muita gente vai à falência por haver investido demais na prosa da vida. Arruinar-se pela poesia é uma honra. Mas quando falou pela primeira vez com a senhorita Sibyl Vane?

— Na terceira noite. Ela interpretava Rosalinda. Eu não resistira à vontade de ir. Arremessei-lhe algumas flores e ela me olhou; pelo menos imaginei que me olhava. O velho judeu era teimoso. Parecia decidido a levar-me aos bastidores. Fui. Não é esquisito que eu não quisesse conhecê-la?

— Não; não me parece.

— Meu caro Harry, por que não?

— Eu lhe direi em outra ocasião. Agora quero saber mais sobre a pequena.

— Sibyl? Oh! Mostrou-se tímida, gentil. Tem um quê da criança que ainda era não faz muito. Quando elogiei as interpretações, arregalou uns olhos admirados, como se não tivesse consciência do seu valor. Creio que estávamos os dois um tanto nervosos. Da porta, o velho judeu sorria, dizendo frases complicadas a nosso respeito, enquanto nós nos olhávamos como duas crianças. Ele insistia em me tratar por milorde;

tive de explicar que não sou nada disso. Ela me respondeu ingenuamente: "O senhor parece mais um príncipe. Eu o chamarei de Príncipe Encantador".

— Palavra, Dorian: a senhorita Sibyl sabe responder aos cumprimentos.

— Você não a compreendeu, Harry. Ela me considerou apenas como personagem de alguma peça. Vive com a mãe, uma pobre mulher pálida e triste, que personificava a senhora Capuleto em uma espécie de penhoar e que, aparentemente, conheceu dias melhores.

— Conheço essa aparência; é das que me deprimem — observou lorde Henry, examinando os anéis.

— O judeu quis informar-me a respeito; fiz-lhe ver que não me interessava.

— Com toda a razão. Nas tragédias alheias, sempre há um quê de infinitamente banal.

— Eu só me interesso por Sibyl. Que me importa de onde ela vem? Da sua cabeça mimosa aos seus pés miúdos, ela é absoluta e inteiramente divina. Todas as noites vou assistir à sua atuação, e em cada noite ela é mais extraordinária do que na véspera.

— Eis o motivo, presumo, por que você já não janta comigo. Bem me ocorreu que você devia ter se envolvido em algum romance. E era verdade; porém, não absolutamente o que eu imaginava.

— Meu caro Harry, sempre almoçamos ou ceamos juntos todos os dias; e tenho ido várias vezes à ópera com você — replicou Dorian, com uma expressão de estranheza nos olhos azuis.

— E sempre chega muitíssimo atrasado!

— Ora!... Não posso deixar de ir ver Sibyl, ainda que seja só em um ato. Tenho sede da sua presença. E a idéia da alma prodigiosa que se esconde nesse corpo delicado, de marfim, enche-me de respeito.

— Jantará comigo esta noite, Dorian?

O rapaz meneou a cabeça.

— Esta noite ela é Imogênia; amanhã será Julieta...

— E quando é Sibyl Vance?

— Nunca.

— Cumprimentos!

— Que maldade, Harry! Ela é todas as heroínas do mundo numa só pessoa. É mais do que uma personalidade. Ria-se, quanto quiser. Afirmo-lhe que essa menina tem gênio. Amo-a e hei de conseguir que ela me ame. Você, que sabe todos os segredos da vida, ensine-me um feitiço para que Sibyl Vane me ame! Quero causar ciúmes a Romeu. Quero que os apaixonados mortos do mundo ouçam os nossos risos e sofram. Quero que o nosso suspiro de paixão lhes anime o pó e restitua a consciência às suas cinzas. Meu Deus, Harry, como adoro Sibyl!

Dorian Gray falava, percorrendo a sala de um lado a outro, sumamente excitado. Nódoas rubras manchavam-lhe o rosto.

Lorde Henry observava-o com uma sensação sutil de prazer. Que diferença do rapaz tímido, retraído, que ele conhecera no atelier de Basil Hallward! A natureza de Dorian desenvolvera-se como uma flor, criara botões de um rubro chamejante. A alma saía do seu esconderijo secreto; e o desejo ia-lhe ao encontro.

— Que pretende fazer? — perguntou lorde Henry, afinal.

— Quero que você e Basil me acompanhem, uma destas noites, para vê-la representar. Não tenho medo do resultado. Vocês reconhecerão que ela tem gênio. Aí nós a tiraremos das garras do judeu. Ela está presa por três anos... pelo menos por dois anos e oito meses, agora. Terei naturalmente de pagar alguma coisa ao velho. Quando tudo estiver acertado, eu a levarei a um teatro do West End para que ela se apresente com decência. Sibyl enfeitiçará o mundo, como me enfeitiçou.

— Impossível, meu rapaz!

— Há de ser possível. Ela não tem apenas arte, senso artístico consumado. Tem também personalidade. Você me disse muitas vezes que o nosso tempo não obedece a princípios e sim a personalidades.

— Bem. Quando quer que vamos?

— Deixe-me ver: hoje é terça-feira. Digamos amanhã. Amanhã, ela interpreta Julieta.

— Perfeitamente... No Bristol, às oito. Eu levarei Basil.

— Às oito, não, Harry, por favor. Às seis e meia. Precisamos estar lá antes de subir o pano. Quero que a veja, no primeiro ato, quando ela conhece Romeu.

— Seis e meia! Que hora! assim como servir chá com carne, ou ler uma novela inglesa... Ninguém que se respeite janta antes das sete. Você verá Basil, até lá, ou devo preveni-lo por escrito?

— Pobre Basil! Não o vejo há uma semana. É uma ingratidão. Ele me mandou o retrato em magnífica moldura, desenhada especialmente por ele, e, embora eu tenha ciúmes desse retrato um mês mais novo do que eu, devo confessar que o adoro. Talvez seja melhor você escrever. Não quero encontrar-me com ele a sós. Basil diz coisas que me aborrecem, dá-me bons conselhos.

Lorde Henry sorriu.

— Certas criaturas têm a mania de dar bons conselhos, precisando tanto deles para si... É o que chamo de o cúmulo da generosidade.

— Oh! Basil é o melhor dos amigos, mas desconfio que tenha algo de filisteu. Descobri isso desde que nos conhecemos, Harry.

— Basil, meu rapaz, põe tudo o que tem de melhor nos seus quadros. Por isso não lhe restam para a vida real senão os preconceitos, os princípios e o senso comum. Os únicos artistas pessoalmente deliciosos que conheci são maus artistas. Os bons artistas existem simplesmente no que fazem; eis por que, em pessoa, são tão desinteressantes. Um grande poeta, o verdadeiro grande poeta, é o menos poético dos indivíduos. Mas os poetas medíocres são encantadores. Quanto piores os versos, tanto mais pitoresco é o poeta. O simples fato de haver publicado um livro de sonetos de segunda ordem torna um homem absolutamente irresistível. Ele vive a poesia que não soube escrever. Os outros escrevem a poesia que não conseguem concretizar.

— Será mesmo assim, Harry? — redargüiu Dorian, vertendo no lenço umas gotas do perfume de um frasco de rolha de ouro, que cintilava na mesa. — Deve ser, desde que você o diz. E agora me vou. Imogênia espera-me. Não se esqueça, amanhã. Até lá...

Dorian saiu. Lorde Henry baixou as pálpebras e pôs-se a refletir. Indubitavelmente, raras pessoas tinham-no impressionado tanto como Dorian Gray; apesar disso, essa adoração idólatra do rapaz por outra criatura não o contrariava nem lhe fazia inveja. Alegrava-o até: tornaria o estudo mais interessante. Sempre o entusiasmara o método das ciências naturais; mas o objeto rotineiro dessa ciência afigurava-se-lhe trivial e insignificante Assim, começara a vivissecção sobre si mesmo e a continuava nos outros. A vida humana: eis a única coisa que vale a pena pesquisar. Não há valor que se lhe possa comparar de fato. Realmente, quando se observa a vida no seu crisol de dor e de prazeres, não é possível cobrir o rosto com uma máscara de vidro nem impedir que os vapores sulfurosos nos ofusquem o cérebro e nos turvem a imaginação com fantasias monstruosas e sonhos disformes. Há venenos tão sutis que, para os conhecer, cumpre experimentá-los. Há males tão estranhos que, para lhes entender a natureza, é preciso contraí-los. Ainda assim, que grande recompensa recebe o observador! Em que maravilha se torna o mundo aos seus olhos! Notar a lógica singular e inflexível da paixão, a vida colorida e emotiva da inteligência... verificar onde se cruzam e onde se apartam, em que ponto estão em uníssono ou discordam... que delícia! Que importava o custo? Não há preço demasiado alto para semelhante sensação.

Lorde Henry tinha consciência e esse pensamento acendeulhe nos olhos de ágata escura uma chispa de prazer — de que era por certas palavras suas, palavras musicais, ditas com inflexão melodiosa, que Dorian Gray caíra em adoração diante da mimosa Sibyl. O rapaz era em ampla medida criação sua. Ele o tornara precoce. Era alguma coisa. Os seres vulgares aguardam que a vida lhes desvende todos os seus segredos; mas a um número reduzido, aos eleitos, os mistérios da vida são revelados, antes de se erguer o véu. Às vezes por obra da arte, especialmente da arte literária, que lida diretamente com as paixões e a inteligência. De quando em quando, porém, uma personalidade complexa faz as vezes da arte, o que em verdade é uma verdadeira obra de arte, pois a vida tem as suas elaboradas obras-primas, como as têm a poesia, a escultura e a pintura.

Sim, esse rapaz era precoce. Colhia as ceifas maduras, estando ainda na primavera. Vibravam nele a pulsação, a paixão da mocidade, e ele adquiria o conhecimento de si mesmo. Estudá-lo era um deleite. Belo de rosto e de alma, nascera para ser adorado. Pouco importava como acabaria ou como estava destinado a acabar. Assemelhava-se a uma dessas deliciosas personagens de ficção cujas alegrias parecem muito distantes, mas cujas tristezas acordam em nós o senso do belo, cuias feridas lembram rosas purpurinas.

Corpo e alma, alma e corpo — que dupla misteriosa! Há animalismo na alma; e o corpo tem os seus momentos de espiritualidade. Os sentidos podem adquirir requintes, como o espírito está sujeito a degradar-se. Quem saberá dizer onde cessa o impulso carnal ou onde começa o impulso físico? Como são superficiais as definições arbitrárias dos psicólogos banais! E como é difícil orientar-se entre as teses das várias escolas! Estará a alma instalada na casa do pecado, ou o corpo inserido realmente na alma, como pensava Giordano Bruno? A separação entre o espírito e a matéria é um mistério; como é um mistério a união do espírito com a matéria.

Lorde Henry principiava a perguntar a si próprio se era possível fazer da psicologia uma ciência absoluta a ponto de nos revelar as menores molas da vida. No ponto em que estamos, nunca nos entendemos e raramente compreendemos os nossos semelhantes. A experiência carece de valor ético. É meramente o nome que os homens dão aos seus equívocos. De regra, os moralistas a têm considerado uma espécie de orientadora, reivindicaram para ela certa eficácia ética na formação do caráter, louvaram-na como norma que nos ensina o que devemos seguir e o que nos convém evitar. Não há, no entanto, poder determinante na experiência. E, como princípio de ação, ela não é superior à consciência. Donde se deduz que o nosso futuro tem toda a probabilidade de se assemelhar ao nosso passado; e que no pecado cometido uma vez com remorso reincidiremos muitas vezes com alegria.

Lorde Henry convencia-se de que o método experimental é o único pelo qual se pode chegar a uma análise científica das paixões. E Dorian Gray era indubitavelmente o objeto ideal; prometia-lhe resultados ricos e proveitosos. A sua súbita e frenética paixão por Sibyl Vane era fenômeno psicológico de súbito interesse. Evidentemente, a curiosidade nela entrava em larga medida — a curiosidade e a ânsia de experiências novas. Apesar disso, nada tinha de simples; era antes uma paixão complexa. O que nela havia de genuíno instinto sensual da adolescência transformara-se por obra da imaginação, convertera-se em alguma coisa que ao próprio Dorian parecia muito alheia aos sentidos e, por isso mesmo, tanto mais perigosa. Era a paixão sobre cujas origens nos iludimos, a que exerce sobre nós a tirania mais despótica...

Enquanto lorde Henry se entregava a essas reflexões, bateram à porta. O criado entrou e recordou-lhe que era hora de se vestir para o jantar. Ele se levantou e relanceou um olhar à rua. O sol poente deitava reflexos de ouro alourado às janelas altas dos prédios fronteiros. As vidraças flamejavam como placas de metal aquecidas. No alto, o céu tingia-se de rosa claro. Lorde Henry pensou na vida veemente e colorida do seu jovem amigo, perguntando a si mesmo como iria terminar.

Entrando em casa às duas e meia da madrugada, viu um telegrama na mesa do *hall*.

Era de Dorian Gray, que lhe participava o seu noivado com Sibyl Vane.

CAPÍTULO V

— Mamãe, mamãe, sou tão feliz! — murmurou a jovem, escondendo o rosto no regaço da mulher pálida e cansada que se sentara de costas para a luz forte na única poltrona da salinha pobre. — Sou tão feliz! E tu também deves estar contente.

A senhora Vane pestanejou, pousou as delicadas mãos de alvaiade na cabeça da filha.

— Feliz! — repetiu, como um eco. — Eu só me sinto feliz, Sibyl, quando te vejo em cena. O senhor Isaac tem sido muito bom conosco. Devemos-lhe dinheiro.

A mocinha levantou a cabeça, amuada.

— Dinheiro, mamãe? Que importa o dinheiro? O amor é mais que o dinheiro!

— O senhor Isaac adiantou-nos cinqüenta libras para pagarmos as nossas dívidas e comprar as coisas de que James precisava. Não esqueças isso, Sibyl. Cinqüenta libras são muito dinheiro. O senhor Isaac teve muita consideração.

— O senhor Isaac não é um homem educado. Não tolero o modo como ele me trata — rebateu a mocinha, levantando-se e chegando à janela.

— Não sei como nos arranjaríamos sem ele — tornou a voz queixosa da mãe.

Sibyl Vane sacudiu a cabeça e riu-se.

— Já não precisamos dele, mamãe. Quem nos governa agora a vida é o Príncipe Encantador.

Sibyl interrompeu-se. O sangue alvoroçado subiu-lhe às faces, corando-as de leve. A respiração arfante entreabria-lhe as pétalas dos lábios trêmulos. Uma rajada de paixão passou sobre ela, enfunando-lhe as pregas graciosas do vestido.

— Eu o amo — disse ela simplesmente.

— Criança insensata! Criança insensata!

Foi a resposta da mãe; e o gesto, abanando os dedos curvos estrelados de pedras falsas, dava um quê de grotesco a essa repetição de papagaio.

Sibyl riu-se com uma alegria de pássaro cativo, que se lhe refletia nos olhos. Estes fecharam-se por um instante, para esconder o seu segredo; reabriram-se, com uma expressão sonhadora.

A sabedoria de lábios finos, sentada na poltrona surrada, tornou a exortá-la à prudência com citações do livro da covardia, cujo autor se disfarça sob o nome de senso comum. Sibyl não ouvia. Sentia-se livre no seu cárcere de paixão. O seu Príncipe Encantador estava ao seu lado. Bastava-lhe apelar para a memória para o evocar. Sibyl mandara a alma buscá-lo e a alma trouxera-o de volta. O beijo dele queimou-lhe os lábios; crestou-lhe os cílios o seu hálito quente.

Então a sabedoria mudou de sistema e de linguagem. Esse rapaz talvez fosse rico. Nesse caso, convinha pensar em casamento. Na concha da orelha rosada insinuaram-se as ondas da astúcia mundana. Voaram as flechas despedidas por ela. Sibyl via o movimento dos lábios finos e sorria.

De repente sentiu necessidade de falar. Esse silêncio, prenhe de palavras, desconcertava-a.

— Mamãe, mamãe, por que será que ele me ama tanto? Eu sei por que o amo: porque ele é como deve ser o próprio amor. Mas que vê ele em mim? Não sou digna dele. Entretanto (não sei por quê), embora esteja tão abaixo dele, não me sinto humilde. Sinto-me orgulhosa, soberba. Mamãe, amavas meu pai como eu amo o Príncipe Encantador?

A mulher empalideceu mais sob o pó grosseiro que lhe emplastava o rosto; os lábios delgados contraíram-se-lhe num espasmo doloroso. Sibyl correu para ela, passou-lhe os braços pelo pescoço e beijou-a.

— Perdão, mamãe. Sei que não gostas de falar de papai. E que o amavas muito. Não fiques triste! Sou tão feliz, hoje, como tu eras há vinte anos. Permita o céu que essa felicidade dure sempre.

— Minha filha, és muito nova para amar. Além disso, que sabes desse moço? Nem sequer o nome! Uma coisa absurda! Realmente, agora que James parte para a Austrália, tenho tantas preocupações, que bem poderias ter mais juízo. Ainda assim, como acabei de dizer, se ele fosse rico...

— Oh! mamãe, mamãe, deixa-me ser feliz!

A senhora Vane encarou a filha e com um desses largos gestos teatrais que, não raro, se tornam na gente de teatro uma segunda natureza, estreitou-a nos braços. Neste momento a porta abriu-se. Entrou um rapaz robusto, de cabelos castanhos, mãos fortes, pés grandes e movimentos desengonçados. Não tinha a elegância inata da irmã. Dificilmente se adivinharia entre ambos um parentesco tão chegado. A senhora Vane viu-o e abriu um sorriso. Elevava-o mentalmente à dignidade de um auditório, certa de que o quadro devia ser interessante.

— Deverias guardar alguns beijos para mim, Sibyl — resmungou jovialmente o moço.

— Ah! mas tu não gostas de ser beijado, Jim! — retorquiu ela. — És um urso assustador — acrescentou, correndo para ele e abraçando-o.

James Vane olhou a irmã com ternura.

— Vim buscar-te para um passeio, Sibyl. Desconfio que não tornarei a ver esta Londres horrorosa. Nem desejo...

— Não digas essas coisas horríveis, meu filho — atalhou a senhora Vane, apanhando com um suspiro um traje de teatro, necessitado de um remendo.

Lamentava que o filho não se juntasse ao grupo, para lhe completar o efeito cênico.

— Por que não, mãe? Digo o que sinto.

— E com isso me afliges, meu filho. Confio em que voltes da Austrália com uma posição de prestígio. Creio que nas colônias não pode existir nada a que se possa chamar de sociedade. Por isso, depois de fazer fortuna, voltarás e instalar-te-ás em Londres.

— Sociedade! — resmungou James. — Nem quero ouvir falar disso. Gostaria, isto sim, de ganhar algum dinheiro, para tirar a senhora e Sibyl do teatro. Detesto-o!

— Oh! Jim, que maldade! — protestou Sibyl, rindo-se. — Mas vieste mesmo para passear comigo? Que bom! Pensei que tivesses ido dizer adeus aos teus amigos... a Tom Hardy, que te deu esse cachimbo horrível; ou a Ned Langton, que faz troças por fumares nele. Que idéia gentil a de me dedicares a tua última tarde! Aonde vamos? Vamos ao parque.

— Estou muito mal trajado — replicou o rapaz, franzindo a testa. — Só os ricos podem ir ao parque.

— Tolice, Jim — murmurou-lhe a irmã, alisando-lhe a manga do paletó.

Ele hesitou um instante.

— Está bem — disse, afinal. — Mas não leves muito tempo para te vestires.

Sibyl deslizou para a porta com um passo de dança. Subiu a escada, cantando. Os seus pés miúdos ressoaram no andar de cima.

Jim percorreu a salinha duas ou três vezes. Depois chegou-se ao vulto imóvel na poltrona.

— As minhas coisas estão arrumadas, mãe?

— Tudo pronto, James — respondeu ela, sem levantar os olhos.

Fazia meses que se sentia constrangida em presença desse filho rude e severo, tão diferente da sua índole superficial. Desconfiaria ele de alguma coisa?

Jim não tornou a abrir a boca. Afinal, a senhora Vane achou o silêncio insuportável. E começou a queixar-se. As mulheres defendem-se atacando, exatamente como recorrem, para atacar, a súbitas e estranhas capitulações.

— Espero que seja de teu gosto a vida de marinheiro, James. Lembra-te de que tu mesmo a escolheste. Poderias trabalhar em algum escritório de advocacia. Os advogados são uma classe muito respeitável; e, no campo, dão-se em geral com as melhores famílias.

— Detesto os escritórios e os escreventes — replicou o filho. — Mas a senhora tem razão: eu mesmo escolhi a minha vida. E só lhe peço que cuide bem de Sibyl. Não lhe deixe acontecer coisas desagradáveis, mãe. Cuide bem dela.

— Que idéia, James! É claro que cuido de Sibyl.

— Disseram-me que um fidalgo vai todas as noites ao teatro e fala com ela nos bastidores. É verdade? Que história é essa?

— Falas de coisas que não entendes, James. Na nossa profissão, é hábito sermos alvo de atenções. Eu mesma recebia na mesma noite muitos ramos de flores. Naturalmente, quando representava. Quanto à tua irmã, até agora não sei ao certo se ela gosta ou não desse moço. Do que não se pode duvidar é de que ele seja um perfeito cavalheiro. Sempre muito cortês comigo. Tem, aliás, aparência de homem rico; e as flores que manda são lindas.

— Entretanto, a senhora não sabe o nome dele — atalhou rispidamente o rapaz.

— Não — tornou a mãe, muito calma. — Ele ainda não nos disse o seu verdadeiro nome. É muito romântico, a meu ver. Creio que pertence à aristocracia.

James Vane mordeu o lábio.

— Olhe por Sibyl, mãe. Olhe bem por ela!

— Tu me afliges, meu filho. Sibyl está sempre sob a minha guarda. Naturalmente, se esse moço é rico, eu não vejo por que ela deveria enxotá-lo. Acredito que ele seja da nobreza. Tem todo o jeito disso. Seria, para Sibyl, um casamento esplêndido. O moço é realmente notável. Forma com ela um par que atrai as atenções.

O rapaz resmungou alguma coisa para si, tamborilando na vidraça. Estava-se voltando, para falar, quando a porta se abriu e Sibyl apareceu.

— Como estão sérios! — exclamou. — Que há de novo?

— Nada — respondeu-lhe o irmão. — De vez em quando, a seriedade se recomenda, penso eu. Até logo, mãe. Jantarei às cinco. Tudo está arrumado, menos as minhas camisas. Logo, não se preocupe.

— Até logo, meu filho — disse a senhora Vane com uma solenidade contrafeita.

Desgostava-a profundamente o tom que o filho adotara com ela; havia momentos em que o olhar dele a amedrontava.

— Um beijo, mamãe — disse a mocinha.

Os seus lábios de flor tocaram a face murcha, aqueceram-lhe o gelo.

— Minha filhinha! Minha filhinha! — clamou a senhora Vane, levantando os olhos para o teto à procura duma galeria imaginária.

— Vem, Sibyl! — exclamou o irmão, impaciente.

Detestava as afetações maternas.

Saíram os dois para o dia ventilado, dourado de sol, e enveredaram pela Euston Road. Os passantes estranhavam o rapaz desengonçado, de traje grosseiro, em companhia da jovem elegante e fina. Era como se um jardineiro vulgar passeasse com uma rosa.

Essa curiosidade contrariava James Vane, enquanto Sibyl nem percebia o efeito que estava produzindo. O seu amor tremia-lhe no riso dos lábios. Pensava no seu Príncipe Encantador; mas, por muito que o tivesse na mente, não falava dele. Tagarelava acerca do navio de Jim, do ouro que ele cavaria, da herdeira lindíssima que lhe caberia arrebatar às garras dos salteadores. Porque não estava destinado a ser marinheiro a vida inteira. Vida de marinheiro... Que horror! Uma casca de noz varrida pelas ondas endurecidas, a ventania derrubando-lhe os mastros, rasgando as velas em tiras tremulantes... Ele saltaria do navio em Melbourne, depois de um adeus amável ao comandante e correria às minas de ouro. Lugares horríveis onde os homens se embriagavam, mas onde em menos de uma semana Jim descobriria um veio inesgotável... Ou não; ele não iria às minas, onde os mineiros dizem palavrões e matam-se a tiros nos bares. Não, Jim empregar-se-ia em uma bucólica fazenda de criação. Uma noite, voltando do trabalho, veria a bela fazendeira carregada por um malfeitor em um cavalo preto. Jim perseguiria o raptor, travaria luta com ele e salvaria a herdeira. Naturalmente eles se apaixonariam um pelo outro, casariam e viveriam em Londres, num palácio. Sim, a sorte reservava decerto aventuras maravilhosas a James Vane. Mas, para as merecer, ele devia portar-se bem, não perder a coragem, não gastar dinheiro à toa. Sibyl declarava que, embora só um ano mais velha do que ele, sabia muito mais da vida. Jim escreveria amiúde, faria todas as noites as suas orações, antes de dormir. Deus é muito bom; velaria por ele. Ela também rezaria muito, para que dentro de poucos anos ele voltasse, rico e feliz.

O irmão escutava-a, tristonho, sem responder. Doía-lhe deixar a sua terra.

Entretanto, não era só isso o que o entristecia. Se bem que inexperiente, pressentia o perigo a que deixava exposta a irmã. O jovem dândi que lhe fazia a corte podia estar mal-intencionado. Era um nobre; e só por isso Jim o detestava. Detestava-o por um instinto singular, inexplicável e que, por isso mesmo, o dominava mais. Jim percebia a futilidade, a vaidade da mãe e via nesses defeitos um perigo imenso para Sibyl, para a felicidade de Sibyl. A criança começa amando os pais; mais tarde, ao crescer, julga-os; às vezes perdoa-os.

Sua mãe! Ele bem tinha na mente algo para lhe perguntar. Uma coisa que o vinha preocupando, havia meses, em silêncio. Uma frase que ouvira casualmente no teatro, uma zombaria cochichada que lhe chegara ao ouvido uma noite, enquanto ele esperava à porta do palco, fora o bastante para provocar esse horrível encadeamento de idéias. Jim lembrava-se dessa frase como de uma chicotada recebida em pleno rosto. Franziu as sobrancelhas e, num espasmo de agonia, mordeu o lábio inferior.

— Não escutas uma palavra do que eu digo, Jim — exclamou Sibyl. — E eu a fazer os planos mais felizes para o teu futuro! Dize alguma coisa.

— Que queres que eu diga?

— Oh! Que serás bonzinho, que não nos esquecerás — tornou ela, sorrindo-lhe.

James Vane encolheu os ombros.

— É mais fácil me esqueceres do que eu te esquecer, Sibyl.

— Que pretendes dizer, Jim? — redargüiu ela, corando.

— Contaram-me que tens um novo namorado. Quem é? Por que não me disseste nada sobre ele? Não me parece boa coisa para ti...

— Basta, Jim! — atalhou Sibyl. — Não digas nada contra ele. Eu o amo.

— Ora! Se nem sabes o nome dele. Quem é? Tenho o direito de saber!

— Chama-se Príncipe Encantador. Não gostas do nome? Bobo! E não o esqueças. Se visses o meu príncipe, tu o acharias a criatura mais maravilhosa deste mundo. Um dia, o conhecerás. Quando voltares da Austrália. E simpatizarás com ele. Todos o apreciam; e eu... eu o amo. É pena que não possas ir ao teatro esta noite... Ele vai; e eu vou ser Julieta. Que Julieta! Imagina, Jim: estar enamorada e ser Julieta! Saber que ele está na platéia, representar para ele... Desconfio que vou assustar o público; assustá-lo, ou arrebatá-lo. Amar é exceder-se a si próprio. O pobre e feioso senhor Isaac estará apregoando o meu gênio aos retardatários do bar. Ele me tem pregado como um dogma; esta noite me apregoará como uma revelação. Sinto-o. E tudo me vem dele, só dele, do meu Príncipe Encantador, o meu maravilhoso namorado, o meu deus da graça. Que pobre eu sou ao pé dele! Pobre? Pouco se me faz. Quando a pobreza rasteja à porta, o amor entra voando pela janela. Os nossos provérbios estão precisando de nova redação. Foram feitos no inverno, e agora é o estio... primavera para mim, com flores dançando no azul do céu.

— Um aristocrata! — disse Jim, soturno.

— Um príncipe! — retrucou Sibyl com a sua voz melodiosa. — Que mais queres?

— Ele quer escravizar-te.

— O meu medo é que ele me deixe livre.

— Guarda-te dele!

— Ver o meu príncipe é adorá-lo; conhecê-lo é confiar nele.

— Estás doida por ele, Sibyl!

A jovem riu-se, tomou o braço do irmão.

— Falas como se tivesses cem anos, meu velho Jim! Chegará o

teu dia de amar. Então saberás o que é. Não fiques triste. Hás de gostar de pensar em que, embora vás para longe, me deixas feliz como nunca fui. A vida tem sido dura para nós; muito dura e difícil. Vai ser diferente agora. Tu vais para um mundo novo; e eu descobri um mundo. Aí estão duas cadeiras; sentemo-nos e assistamos à passagem da gente chique.

Ocuparam as duas cadeiras, em um grupo de observadores. Além da alameda os canteiros de tulipas flamejavam como círculos de fogo. Uma poeira esbranquiçada, semelhante a uma nuvem trêmula de pó de íris, flutuava no ar palpitante. Os guarda-sóis multicores agitavam-se, erguendo-se e abaixando-se à maneira de borboletas monstruosas.

Sibyl induziu o irmão a falar de si, das suas esperanças, dos seus planos. Jim falava lentamente, com esforço. Passavam os dois as deixas, um ao outro, como os jogadores permutam fichas. A jovem sentia uma espécie de opressão; não conseguia comunicar a sua alegria. Uma sombra de sorriso, perpassando em uns lábios tristes, era todo o eco despertado pelas suas palavras. Ao cabo de alguns instantes, calaram-se. De repente Sibyl vislumbrou uma cabeleira dourada, uma boca risonha: Dorian Gray passava em uma carruagem descoberta com duas damas.

— Lá vai ele! — exclamou a moça, levantando-se inopinadamente.

— Quem? — perguntou Jim Vane.

— O Príncipe Encantador — tornou ela, seguindo a carruagem com o olhar.

O rapaz levantou-se por sua vez e agarrou nervosamente o braço da irmã.

— Mostra-me esse homem! Qual é? Aponta-o de uma vez! Quero vê-lo.

Nisso, o carro do duque de Berwick surgiu no caminho; quando o desimpediu, a carruagem desaparecera.

— Foi-se — murmurou Sibyl, com tristeza. — Estimaria que o visses.

— Eu também; porque, tão certo como estar Deus no céu, se ele te ofender, eu o matarei!

A irmã olhou-o, horrorizada. Jim repetiu o juramento e as suas palavras cortaram o ar, como um punhal. Os vizinhos já escutavam, curiosos. Perto de Sibyl, uma senhora mal continha o riso.

— Vamos, Jim, vamos — murmurou a jovem.

Atravessaram o grupo. Jim seguia a irmã; ia carrancudo, mas contente por ter dito o que dissera. Ao pé da estátua de Aquiles, Sibyl voltou-se. Havia piedade nos seus olhos; e nos lábios, um doce sorriso.

— És absurdo, Jim; absolutamente absurdo e genioso! Como podes dizer essas coisas horríveis? Nem sabes de que estás falando. És apenas ciumento. Ah! Que bom, se te apaixonasses! O amor abranda o coração. O que disseste é pura maldade.

— Tenho dezesseis anos, Sibyl, e sei o que digo. Mamãe não te adianta muito; é incapaz de cuidar de ti. Antes eu não fosse agora à Austrália. Que tentação de voltar atrás!... Se os meus papéis já não estivessem assinados...

— Não leves o caso tão a sério, Jim! Pareces um dos heróis dos dramalhões que mamãe gostava tanto de representar. Não quero brigar contigo hoje. Vi o meu príncipe e já isso é a felicidade perfeita. Não discutamos. Eu sei que nunca farás mal a quem eu queira bem, não é verdade?

— Não, decerto, enquanto lhe quiseres bem.

— Eu o amarei sempre, Jim!

— E ele?

— Sempre, também.

— Melhor para ele!

Sibyl repeliu o irmão. Depois riu-se e pousou-lhe a mão no braço.

— Esse garoto!...

No Marble Arch, tomaram o ônibus que os deixou à porta da sua pobre residência na Euston Road. Passava de cinco horas. Sibyl tinha de descansar pelo menos duas horas antes do espetáculo. Insistindo em que a irmã se deitasse, Jim disse que preferia despedir-se dela enquanto a mãe não estivesse presente. Naturalmente a mãe faria uma cena; e ele detestava as cenas de qualquer espécie.

Despediram-se no próprio quarto de Sibyl. O rapaz sentia o coração rebentar de zelos, de um ódio feroz contra o desconhecido que se intrometera entre ele e a irmã. Todavia, quando ela lhe enlaçou o pescoço com os braços e enfiou-lhe os dedos nos cabelos, Jim abrandou e beijou-a com afeição sincera. Tinha lágrimas nos olhos, ao descer a escada.

A mãe esperava-o embaixo e resmungou, queixando-se da impontualidade dele. Jim não respondeu; sentou-se diante do seu magro jantar. As moscas zumbiam à roda da mesa, rastejavam na toalha suja. Em meio ao rumor surdo dos ônibus, ao barulho dos carros, Jim ouvia a voz reboante que lhe devorava os derradeiros minutos.

Ao termo de pouco tempo, o rapaz repeliu o prato e escondeu o rosto entre as mãos. Sentia que tinha direito de saber. Já deveriam ter-lhe dito “aquilo”, se era como ele suspeitava. A mãe observava-o, lívida de apreensão. As palavras caíam-lhe maquinalmente dos lábios, enquanto os seus dedos amarfanhavam um lenço de renda todo esgarçado. O relógio deu seis horas. James levantou-se, caminhou para a porta. De repente, voltou-se, encarou a mãe. Os seus olhos cruzaram-se com os dela, onde se lia uma súplica desesperada de misericórdia. Essa expressão o enfureceu.

— Vou fazer-lhe uma pergunta, mãe...

Ela correu vagamente os olhos pela sala.

— Responda com franqueza.

Tenho o direito de saber. A senhora era casada com meu pai?

A senhora Vane suspirou profundamente. Um suspiro de alívio. O momento terrível, o momento que ela receara dia e noite, durante semanas e meses, chegara afinal e não a atemorizava, causava-lhe até certa decepção. A vulgaridade da pergunta direta exigia uma resposta direta. A situação não madurara gradualmente. Era brutal. Dir-se-ia um ensaio gorado.

— Não — respondeu a senhora Vane, pensando na rude simplicidade da vida.

— Então meu pai era um patife? — tornou o rapaz, crispando os punhos.

A mãe meneou a cabeça.

— Teu pai não era livre, e eu o sabia. Nós nos queríamos muito. Se vivesse, ele cuidaria de nós. Não fales contra ele, meu filho. Era teu pai e era um cavalheiro. É a verdade: pertencia a uma família importante.

Jim praguejou entre dentes.

— Não é por mim... Mas veja se não deixa Sibyl... Também é fidalgo esse que a namora, ou pretende ser? Também de grande família, com certeza...

A mulher baixou a cabeça, humilhada. Enxugou os olhos com as mãos trêmulas.

— Sibyl tem mãe — murmurou. — Eu não tinha.

Essas palavras comoveram o filho. Caminhando para ela, Jim baixou-se para beijá-la e tornou:

— Desculpe se a contrariei, falando de meu pai. Não me pude conter. Agora tenho de ir. Adeus. Não se esqueça de que, de hoje em diante, só terá de cuidar de sua filha. E ouça bem: se esse homem a iludir, descobrirei quem ele é e hei de matá-lo como a um cão. Juro-o!

O exagero, o absurdo da ameaça, o gesto veemente que a acompanhava, o rompante da frase melodramática, entusiasmaram a senhora Vane, lembraram-lhe a sua atmosfera habitual. Ela respirou aliviada e, pela primeira vez, depois de tanto tempo, admirou francamente o filho. Gostaria de continuar a cena nesse tom emocional; mas o rapaz a cortou subitamente. Era preciso descer as malas, procurar as mantas. O faxineiro do prédio ia e vinha. Houve que parlamentar com o cocheiro. Os últimos instantes esvaíram-se em pormenores vulgares. Foi com um sentimento de nova decepção que a senhora Vane acenou da janela, com o lenço de renda amarfanhado, ao filho que partia. Sentia que se malbaratara uma grande oportunidade. Consolou-se, dizendo a Sibyl como acharia desolada a vida, tendo de velar só por um dos seus filhos. Gostara da frase e não a esquecia. Não mencionou a ameaça vivida, dramaticamente formulada. Dizia consigo que, mais tarde, os três ainda haveriam de rir dessa exaltação.

CAPÍTULO VI

— Presumo que já saiba da novidade, não, Basil? — disse lorde Henry, nessa noite, ao introduzir Hallward em um compartimento reservado do Bristol, onde a mesa estava posta para três.

— Não, Harry — respondeu o artista, entregando o chapéu e o sobretudo ao garçom atencioso. — A que novidade está se referindo? Nada a respeito de política, espero. A política não me interessa. Na Câmara dos Comuns haverá, se tanto, uma única personagem que mereça ser retratada, embora a maioria tivesse muito mais a ganhar com ser caiada.

— Dorian, Gray está noivo — disse lorde Henry sem perder de vista o amigo.

Basil teve um sobressalto; franziu a testa.

— Dorian, noivo? Impossível!

— É perfeitamente exato.

— De quem?

— De uma atrizinha; ou coisa que o valha.

— Não acredito. Dorian é muito sensato.

— Dorian é bastante sensato para não fazer tolices de quando em quando, meu caro Basil.

— Casamento não é coisa que se faça de quando em quando, Harry.

— Salvo na América — objetou indolentemente lorde Henry. — Mas eu não disse que ele se casou e sim que contratou casamento. Há uma grande diferença. Lembro-me perfeitamente de que sou casado; não tenho menor lembrança de haver sido noivo. Porém, eu desconfio que nunca o fui.

— Mas pense na origem, na posição, na fortuna de Dorian. Seria absurdo ele procurar esposa tão abaixo de sua condição.

— Se quer mesmo que ele case com a rapariga, Basil, diga-lhe justamente isso. E ele casará na certa. Quando um homem faz uma estupidez dessas, é sempre pelos motivos mais sublimes.

— Espero que ela seja boa moça, Harry. Não quero ver Dorian amarrado a uma criatura desprezível, que o degrade e lhe estrague a inteligência.

— Oh! Ela é mais do que boa: é linda — murmurou lorde Henry, sorvendo o aperitivo. — Dorian diz que ela é maravilhosa e não se engana muito a esse respeito. O retrato que você lhe fez aguçou-lhe a faculdade de apreciar a aparência alheia. Teve, entre outros, este excelente efeito. Aliás, vamos ver a pequena esta noite, a não ser que o rapaz esqueça o compromisso.

— Está falando sério?

— Absolutamente sério, Basil. Eu me lastimaria, se soubesse que fui alguma vez mais sério do que estou sendo neste momento.

— Mas aprova isso, Harry? — perguntou o pintor, andando de um lado para outro na saleta e mordendo o lábio. — Não; não pode aprovar. Isso não passa de uma enfatuação absurda!

— Eu agora nunca aprovo nem reprovo nada. Aprovar e reprovar são atitudes absurdas para com a vida. Não viemos ao mundo para dar largas aos nossos preconceitos morais. Jamais presto atenção ao que diz o vulgo, nunca interfiro no que fazem as pessoas simpáticas. Quando uma personalidade me fascina, seja qual for o modo de expressão escolhido por essa personalidade, considero-o absolutamente satisfatório. Dorian Gray apaixonou-se por uma linda pequena, que personifica Julieta, e pretende casar com ela. Por que não? Se casasse com Messalina, nem por isso seria menos interessante. Você sabe que eu não sou um paladino do casamento. O verdadeiro inconveniente do casamento é que ele extingue em nós o egoísmo. E os seres sem egoísmo são incolores. Carecem de personalidade. Ainda assim, há temperamentos que o estado conjugal torna mais complexos. Esses conservam o seu egotismo e acrescentam-lhe muitos outros "egos". Obrigados por isso a viver uma vida múltipla, tornam-se superiormente organizados. E ser superiormente organizado é, a meu ver, a finalidade da existência do homem. Ademais, toda experiência tem valor, e, diga-se o que se disser, o casamento é sem dúvida uma experiência. Espero que Dorian Gray case com essa menina, que a adore apaixonadamente seis meses e depois, da noite para o dia, apaixone-se por outra. Seria um objeto de estudo maravilhoso.

— Você não pensa uma palavra do que diz, Harry. Sabe que não. Se Dorian Gray se desgraçasse, ninguém o sentiria mais do que você. É muito melhor do que proclama ser.

Lorde Henry soltou uma risada.

— O motivo do nosso empenho em julgar bem o próximo é que temos medo de nós mesmos: a base do otimismo é puro receio. Consideramo-nos generosos, porque atribuímos aos nossos semelhantes as virtudes que nos podem ser úteis. Elogiamos o banqueiro que está em condições de nos proporcionar crédito; enxergamos boas qualidades num salteador, com a esperança de que ele nos poupe os bolsos. Eu penso tudo o que disse. E desprezo profundamente o otimismo. Quanto a estragar a vida, não há vida estragada, salvo a que deixa de se desenvolver. Se quiser desgraçar uma índole basta reformá-la. O casamento seria absurdo, concordo. Mas há outros laços, e mais interessantes, entre os homens e as mulheres. Eu os favorecerei. Têm o encanto de serem elegantes. E... Aí vem Dorian. Ele lhe dirá mais do que eu posso dizer.

— Meu caro Harry, prezado Basil, felicitem-me! — exclamou o moço, despindo o sobretudo de noite, de abas forradas de cetim, e apertando a mão dos amigos. — Nunca fui tão feliz! É imprevisto, compreendo; imprevisto como são as coisas realmente deleitosas. Entretanto, tenho a impressão de que andei à procura disso durante a minha vida inteira.

— Faço votos de que a sua felicidade seja duradoura, Dorian — disse Hallward. — Mas custa-me perdoar que se esquecesse de me participar o seu noivado. Não se esqueceu de prevenir Harry.

— E eu não lhe perdôo ter atrasado o jantar — atalhou lorde Henry, sorrindo e pousando a mão no ombro do rapaz. — Sentemonos e provemos o que o novo cozinheiro chefe da casa sabe fazer; depois você nos contará como foi.

— Não há realmente muito que dizer — exclamou Dorian, enquanto se acomodavam os três à pequena mesa redonda. — O que aconteceu foi simplesmente isto: depois que o deixei ontem à noite, Harry, mudei de traje, fui jantar no restaurantezinho italiano que você me fez conhecer na Rupert Street e dali, às oito horas, segui para o teatro. Sibyl interpretava Rosalinda. Está a ver que o cenário era horrível e o Orlando, absurdo. Sibyl, porém!... Se vocês a vissem! Quando ela apareceu, em traje masculino, foi um verdadeiro encanto. Nunca ela me parecera mais mimosa! Tinha a graça dessa figurinha de Tanagra que você tem no estúdio, Basil. Os cabelos anelados emolduravam-lhe o rosto, como grinalda de folhas escuras em torno de uma rosa pálida. E quando ela começou... Mas vocês a verão logo mais. É simplesmente uma artista nata. Eu, na frisa, absolutamente extasiado, esqueci-me de que estava na cidade de Londres do século dezenove. Estava, isso sim, com a minha amada, em uma floresta jamais vista antes. Depois do espetáculo, fui aos bastidores para falar com ela. Sentamo-nos um ao lado do outro; de repente vi nos olhos dela uma expressão que ainda não conhecia. Os meus lábios procuraram os seus. Beijamo-nos. Não sei descrever o que senti naquele instante. Juraria que toda a minha vida se resumira em um ponto de perfeita felicidade cor-de-rosa. Ela vibrava e tremia toda, como um narciso branco. Depois, dobrou os joelhos e beijou-me as mãos. Sinto que não lhes deveria contar isso, mas a verdade é que não me posso calar. Naturalmente que o nosso noivado é secreto. Ela ainda o não comunicou sequer à mãe. Não sei o que dirão os meus tutores. Lorde Radley, naturalmente, ficará furioso. Pouco me importa! Dentro de menos de um ano, serei maior e poderei fazer o que me parecer. Andei acertado, não, Basil, procurando o meu amor na poesia e descobrindo uma esposa nas peças de Shakespeare? Lábios que Shakespeare ensinou a falar murmuraram-me ao ouvido o seu segredo. Os braços de Rosalinda cingiram-me e o meu beijo pousou na boca de Julieta.

— Sim, Dorian, creio que teve razão — disse lentamente Hallward.

— Já a viu hoje? — perguntou lorde Henry. Dorian Gray meneou a cabeça.

— Deixei-a na floresta das Ardenas. Vou encontrá-la em um pomar de Verona.

Lorde Henry tomava pensativamente o seu champanha. — Em que instante especial pronunciou a palavra casamento, Dorian? E que respondeu ela? Parece-me que esquece muitas coisas.

— Meu caro Harry, eu não trato este assunto como um negócio; não fiz uma proposta formal. Disse a Sibyl que a amo; ela respondeu que é indigna de ser minha esposa. Indigna! Que é o mundo aos meus olhos, comparado com ela?

— As mulheres são de uma objetividade maravilhosa — murmurou lorde Henry. — Elas são muito mais objetivas do que nós. Em situações dessa ordem, nós às vezes nos esquecemos de falar em casamento; elas sempre remedeiam a omissão.

Basil Hallward pousou a mão no braço do amigo.

— Não continue, Harry. Está magoando Dorian. Ele não é como os outros homens. Não causaria jamais a desgraça alheia. Ele é generoso demais para fazer uma coisa dessa espécie.

Lorde Henry olhou o rapaz sentado defronte dele.

— Dorian nunca se julga ofendido por mim. Perguntei pela melhor das razões possível; pela única, aliás, que justifica se faça uma pergunta: simples curiosidade. Tenho uma teoria: são sempre as mulheres que nos propõem casamento e não nós que pedimos a mão de uma mulher. Exceto, naturalmente, no ambiente da classe média. Mas a classe média nada tem de moderno.

Dorian Gray riu-se e sacudiu a cabeça.

— Sempre incorrigível, Harry! Mas eu não o levo a mal. É impossível agastar-se com você. Quando vir Sibyl Vane, sentirá que o homem capaz de iludi-la seria um bruto, um bruto sem coração. Não compreendo que se possa querer aviltar o que amamos. Eu amo Sibyl Vane. Quero colocá-la num pedestal de ouro; quero ver o mundo adorar a mulher que é minha. Que é o casamento? Um voto irrevogável. Ri-se disso? Não se ria. É um voto irrevogável que vou pronunciar. A confiança de Sibyl torna-me fiel; a sua fé torna-me bom. Quando junto dela, eu lamento ter aprendido o que você me ensinou. Já não sou o que você conheceu. Mudei. E o simples contato da mão de Sibyl Vane faz-me esquecer você e as suas teorias falsas, fascinantes, perversas, deliciosas.

— Quais...? — perguntou lorde Henry, servindo-se de salada.

— Oh! As suas teorias sobre a vida, as suas teorias sobre o amor, as suas teorias sobre o prazer... Em suma, todas as suas teorias, Harry.

— O prazer é a única coisa merecedora de que se lhe dedique uma teoria — replicou lorde Henry, com a sua fala melodiosa e lenta. — Mas desconfio que não posso reivindicar a qualidade de autor dessa teoria. Ela pertence à natureza e não a mim. O prazer é o teste da natureza, o seu sinal de aprovação. Quando somos felizes, sempre somos bons; mas, por sermos bons, nem sempre seremos felizes.

—Ah! Mas que entende por bom?! — exclamou Basil Hallward.

— Sim — acudiu Dorian, recostando-se na cadoira e encarando lorde Henry por cima dos ramos de íris purpurinos do centro da mesa —, que entende por bom, Harry?

— Ser bom é estar em harmonia consigo mesmo — replicou o interrogado, roçando a haste fina do seu cálice com os dedos pálidos e afilados. — A discordância está em sermos forçados a viver em harmonia com os outros. A nossa vida: eis o que importa. A vida dos nossos semelhantes... quem quiser dar-se ares de pedante ou de moralista poderá julgá-la pelos seus critérios morais; mas a vida alheia não é da nossa conta. Além disso, o individualismo tem realmente a finalidade mais alta. A moral moderna consiste em aceitar-se o padrão da nossa época. Ora, a meu ver, um homem de cultura aceitar o padrão da sua época é uma forma da mais crassa imoralidade.

— Mas, meu amigo, quem viver egoisticamente, só para si, não pagará por isso um preço terrível? — insinuou o pintor.

— Sim, hoje tudo se paga muito caro. Estou para dizer que a verdadeira tragédia do pobre é que só pode aspirar à renúncia. Os belos pecados, como as coisas belas, são privilégio do rico.

— Não se paga só em dinheiro.

— Com que mais, Basil?

— Que sei eu?... Com o remorso, com o sofrimento, com... sim, naturalmente, com a consciência da própria degradação.

Lorde Henry encolheu os ombros.

— Meu bom amigo, a arte medieval é deliciosa, mas as emoções medievais estão fora de moda. Naturalmente que podemos usá-las na ficção. Mas as únicas coisas que se podem usar na ficção são justamente as que na realidade caíram em desuso. Creiame, nunca o homem civilizado se arrependerá de um prazer e nunca um bárbaro saberá o que é o prazer.

— Eu sei o que é o prazer — acudiu Dorian Gray. — É adorar alguém.

— O que é por certo preferível a ser adorado — tornou lorde Henry, brincando com algumas frutas. — Ser adorado constitui um tormento. As mulheres tratam-nos exatamente como os homens tratam os deuses: adorando-nos e aborrecendo-nos sempre para que façamos alguma coisa por elas.

— Eu diria que qualquer coisa que elas peçam para si, já no-la haviam dado antes — observou pensativamente o rapaz. — A mulher cria o amor em nós. Tem o direito de exigir a retribuição.

— Grande verdade, Dorian! exclamou Hallward. — Verdade absoluta!

— Não há verdade absoluta — objetou lorde Henry.

— Esta é! — interrompeu Dorian. — Deve admitir, Harry, que as mulheres nos dão o ouro da sua vida.

— É possível. Mas para o exigirem invariavelmente em miúdos. Aí é que está o mal. As mulheres, segundo um francês espirituoso, inspiram o desejo de fazer obras-primas e sempre nos inibem de realizá-las.

— Você é terrível, Harry! Não sei por que o prezo tanto!

— E sempre me prezará, Dorian... Café, senhores? Garçom! Café, *fine champagne* e cigarros. Não, cigarros não. Trago alguns, Basil. Não admito que fume charutos. Fumará um cigarro. O cigarro é o tipo consumado do prazer perfeito. É delicioso e deixa-nos insatisfeitos. Que mais se pode querer? Sim, Dorian, você há de gostar de mim sempre. Eu represento para você todos os pecados que você nunca se animou a cometer.

— Quantos disparates você diz, Harry! — exclamou Dorian, acendendo o cigarro nas chamas que se desprendiam da garganta de um dragão de prata que o garçom acabava de pôr na mesa. — Vamos ao teatro. Quando Sibyl aparecer em cena, o seu ideal de vida mudará. Ela lhe causará uma emoção que você ainda não experimentou.

— Eu experimentei tudo — replicou lorde Henry, com um olhar que traía um tédio imenso. — Mas aqui estou, sempre pronto para uma emoção nova. Desconfio, porém, que para mim isso é coisa que não existe. Ainda assim, a sua garota maravilhosa talvez me faça vibrar. Gosto de teatro; é muito mais real do que a vida. Vamos, Dorian. Você vai comigo. Desculpe, Basil; é que o coche só dá para dois. Você irá em outro carro.

Levantaram-se, vestiram os

sobretudos e tomaram o café em pé. O pintor estava silencioso e preocupado. Oprimia-o uma espécie de tristeza. Não conseguia conformar-se de forma alguma com esse casamento; e ele lhe parecia, no entanto, preferível a muitas outras coisas acontecidas ou que poderiam ter acontecido. Minutos depois, estavam os três na rua. Basil seguiu sozinho, sem perder de vista os faróis do pequeno coche que o precedia, acabrunhado por uma estranha sensação de abandono. Dorian Gray nunca tornaria a ser o que fora para ele no passado. A vida interpusera-se entre os dois... O artista sentiu que a vista se lhe turvava. Nas ruas apinhadas, cintilantes de luzes, tudo se baralhou ante os seus olhos. Saltando da carruagem, à entrada do teatro, Basil Hallward sentia-se vários anos mais velho.

CAPÍTULO VII

Fosse pelo que fosse, a casa estava superlotada nessa noite; o empresário judeu acolheu-os com um largo sorriso que lhe ia de orelha a orelha. Acompanhou-os até a frisa com uma espécie de humildade pomposa, abanando as mãos rechonchudas, rebrilhantes de anéis, falando com voz esganiçada. Dorian detestou-o mais que de costume: vinha ver Miranda e tinha de aturar Calibã. Lorde Henry, pelo contrário, simpatizou com o homem; foi pelo menos o que lhe declarou, insistindo em lhe apertar a mão e garantir que se orgulhava de conhecer um empresário capaz de descobrir uma vocação genial e de se arruinar por um poeta. Hallward distraía-se observando as caras da platéia. O calor era sufocante; o lustre flamejava, no alto, como dália monstruosa, de pétalas de fogo amarelado. Os rapazes da galeria despiam o paletó e o colete e penduravam-nos no parapeito, trocando gracejos de um extremo a outro do teatro e distribuindo laranjas com as mulheres espalhafatosas sentadas junto deles. Ouviam-se risadinhas femininas embaixo, na platéia; as vozes eram horrivelmente desafinadas. Do bar, vinha o espocar das rolhas que saltavam.

— Que lugar para se descobrir uma deusa! — disse lorde Henry.

— Sim — respondeu Dorian. — Aqui a descobri; e ela é a mais divina de todas as coisas vivas. Quando representa, faz esquecer tudo. Esta gente vulgar grosseira, de rostos curtidos e gestos brutais, transfigura-se quando ela está no palco. Faz-se silêncio e todos os olhos voltam-se para ela. Este público ri e chora conforme ela quiser. Sibyl faz com que ele se torne sensível como um violino, espiritualiza-o. Chega-se a sentir que eles têm a mesma carne, o mesmo sangue que nós.

— A mesma carne, o mesmo sangue que nós! Oh, espero que não! — protestou lorde Henry, ocupado em perscrutar a galeria com o seu binóculo de teatro.

— Não faça caso, Dorian — acudiu o pintor. — Eu compreendo o que você quer dizer e confio nessa menina. Uma pessoa amada por você só pode ser maravilhosa; e a garota que tem o dom de causar o efeito que descreveu tem de ser linda e generosa. Espiritualizar o nosso tempo é coisa que vale a pena fazer. Se essa moça é capaz de insuflar alma aos que não a têm, de criar uma sensação de beleza em criaturas de existência sórdida e soturna, se consegue arrebatá-las ao seu egoísmo, arrancar-lhes lágrimas com sofrimentos que não os afetam, ela é digna da sua adoração, Dorian, da adoração do mundo inteiro. Esse casamento é perfeitamente acertado. Eu não pensava assim, a princípio. Aprovo-o agora. Foi para você que os deuses criaram Sibyl Vane, Dorian. Sem ela, você estaria incompleto.

— Obrigado, Basil — tornou Dorian Gray, apertando a mão ao artista. — Eu sabia que você compreenderia. Harry é tão cínico! Assusta-me. Mas aí está a orquestra. É horrenda! O que vale é que dura só alguns minutos. Depois, ergue-se o pano e vocês vão ver aquela a quem vou dar toda a minha vida, a quem já dei tudo o que há de bom em mim.

Quinze minutos depois, sob uma tempestade de aplausos, Sibyl Vane apareceu em cena. Sim, era linda de fato, dizia consigo lorde Henry; uma das criaturas mais belas que já lhe sucedera ver. Tinha a graça e o olhar tímido da corça. Um rubor suave, semelhante ao reflexo de uma rosa em um espelho de prata, tingiu as faces da jovem, enquanto os seus olhos corriam pelo recinto apinhado de um público entusiasta. Ela deu mais alguns passos; dir-se-ia que lhe tremiam os lábios. Basil Hallward levantou-se e aplaudiu. Dorian olhava, imóvel, como em sonho. Lorde Henry examinava-a através das lentes, murmurando:

— Adorável! Adorável!...

O cenário representava o vestíbulo da mansão dos Capuleto. Romeu, em vestes de peregrino, acabava de entrar com Mercúcio e outros amigos. A orquestra, tal qual era, tocou uns compassos de música; a dança começou. No grupo desajeitado, malvestido, dos atores, Sibyl movia-se como uma criatura de um mundo diferente e mais belo. Todo o seu corpo ondulava na dança, como se fosse uma planta que se dobrasse nas águas. As curvas do seu pescoço lembravam as de um lírio. As suas mãos pareciam ser feitas de marfim novo.

Contudo, a atriz estava singularmente apática. Não deu sinal de alegria quando os seus olhos pousaram em Romeu. Os poucos versos que lhe cabia dizer com o breve diálogo que se lhes seguiu soaram absolutamente convencionais. A voz era deliciosa, mas a entoação falsa, sem inflexões, tirava toda a vida dos versos e neles não vibrava uma paixão sentida.

Observando-a, Dorian Gray empalidecia mais e mais, intrigado, ansioso. Os amigos não se atreviam a fazer nenhum comentário. Sibyl parecia destituída de inteligência. Os três amigos estavam tristemente desiludidos. Sentiam, no entanto, que o verdadeiro teste de Julieta era a cena do segundo ato e esperavam por ela. Se falhasse, então a atriz não valia nada.

Foi inegavelmente uma visão encantadora a que surgiu sob o luar; mas o seu jogo de cena, já intolerável, piorava de minuto a minuto. Os gestos eram artificialismos, a voz enfática, a declamação de colegial orientada por mau professor punham tudo a perder. Os versos maravilhosos de Julieta ao debruçar-se na sacada, pelo que parecia, não tinham sentido para a intérprete. Não era nervosismo, que ela estava até muito calma. Era simplesmente arte ruim, falta absoluta de talento. O próprio público vulgar e mal-educado da platéia e da galeria desinteressava-se da peça. Começavam o rebuliço, a conversa em voz alta, os assobios. O empresário judeu batia o pé; praguejando de raiva. A única pessoa impassível era Sibyl Vane.

O segundo ato acabava sob urna vaia clamorosa. Lorde Henry levantou-se, vestiu o sobretudo e disse:

— Ela é realmente linda, Dorian; mas não sabe representar. Vamos.

— Eu fico até o fim — respondeu asperamente o rapaz. — Lastimo ter-lhe estragado um serão, Harry. Desculpem-me ambos.

— Meu caro Dorian, creio que a senhorita Vane está indisposta. Voltaremos outra noite...

— Antes estivesse!... Mas desconfio que é insensível e fria. Mudou completamente. Ontem à noite era uma grande artista; hoje, não passa de uma atrizinha medíocre, banal.

— Não diga isso da sua amada, Dorian. O amor é mais maravilhoso do que a arte.

— Esta e aquele são simplesmente formas de imitação —interveio lorde Henry. — Vamos, Dorian; não teime em ficar. O mau teatro não faz bem ao moral. Ademais, não creio que você queira manter sua mulher no palco. Sendo assim, que importa que ela represente Julieta como uma boneca de pau? É adorável! Se souber tão pouco da vida como de representar, será uma experiência deliciosa. Só há, na realidade, duas espécies de criaturas fascinantes: as que sabem absolutamente tudo e as que não sabem absolutamente nada. Céus, menino! Não tome esse ar trágico! O segredo da eterna mocidade é não se entregar a emoções inconvenientes. Venha conosco ao clube. Fumaremos cigarros e beberemos à beleza de Sibyl Vane, que é bela deveras. Que mais quer?

— Vá-se embora, Harry! Quero estar sozinho, Basil. Vão, vão! Não percebem que tenho o coração em pedaços?

Dorian tinha lágrimas nos olhos, os lábios trêmulos. Retraindo-se para o fundo da frisa, encostou-se à parede e escondeu o rosto nas mãos.

— Vamos, Basil — disse lorde Henry, com emoção singular na voz.

Saíram os dois. Minutos após, flamejaram as luzes da ribalta e o pano ergueu-se para o terceiro ato. Pálido, altivo, indiferente, Dorian Gray voltou ao seu lugar. A peça arrastava-se, dir-se-ia interminável. A metade dos espectadores ia saindo, com um tropel de calçado grosseiro entremeado de risadas. Era mesmo um fiasco. O resto do ato desenrolou-se ante uma casa quase vazia. O pano desceu sob risos abafados e alguns suspiros.

Mal a representação terminou, Dorian Gray precipitou-se para os bastidores. Sibyl estava lá sozinha, com uma expressão de triunfo na fisionomia. Animava-lhe os olhos uma chama deliciosa que por assim dizer a envolvia em uma espécie de halo. Os seus lábios entreabertos sorriam a alguma idéia secreta, muito sua. Vendo entrar Dorian, a jovem iluminou-se de ventura infinita. E exclamou:

— Como trabalhei mal hoje, Dorian!

— Horrivelmente! — retrucou ele, olhando-a com espanto. — Horrivelmente. Foi um horror! Acaso sente-se mal? Não tem idéia do que fez, não pode imaginar o que eu sofri!

Ela sorriu.

— Dorian — disse, prolongando o nome em um sussurro musical, como se as pétalas vermelhas dos seus lábios o achassem mais doce do que mel —, Dorian, devia compreender. Mas compreende agora, não é?

— Compreender o quê? — redargüiu ele asperamente.

— Porque andei tão mal esta noite, porque sempre representarei mal, porque já não poderei atuar bem.

Dorian deu de ombros.

— Você está doente, suponho. Sentindo-se indisposta, não deveria trabalhar. Foi ridícula. Os meus amigos saíram aborrecidos. Eu me agastei.

Ela o não escutava. Um êxtase de felicidade dominava-a, transfigurava-a toda.

— Dorian, Dorian, quando não o conhecia, representar era a única realidade da minha vida. Só no teatro eu vivia. Rosalinda uma noite, Pórcia, na noite seguinte. As alegrias de Beatriz eram as minhas alegrias, como eram minhas as tristezas de Cordélia. Eu acreditava em tudo. A gente vulgar, que representava comigo, tinha aos meus olhos um quê de divino. Os cenários pintados eram o meu mundo. Eu só conhecia sombras e considerava-as reais. Você apareceu, ó meu formoso amor, e libertou-me a alma dessa prisão, ensinou-me a ver a realidade. Esta noite, pela primeira vez na vida, percebi o vazio, a falsidade, o grotesco da parada vã em que tenho figurado. Hoje, pela primeira vez, tive consciência de que Romeu é hediondo, velho e pintado; o luar do jardim é artificial e o cenário é vulgar, as palavras que digo são irreais, não são minhas, não são o que eu desejaria dizer! Você me trouxe alguma coisa mais alta, alguma coisa de que a arte é apenas o reflexo. Fez-me entender o que é realmente o amor. Meu bem, meu amado! Príncipe Encantador! Príncipe de vida! Estou saturada de fantasmas. Para mim, você é mais do que poderia ser toda a arte. Que tenho eu de comum com os fantoches de uma peça? Esta noite, no palco, senti que em mim já não havia mais nada. Apareci em cena, convencida de que ia ser maravilhosa, e percebi que seria incapaz de fazer o que quer que fosse. E, de repente, um vislumbre na minha alma revelou-me o que isso quer dizer. Uma revelação que me encheu de júbilo! Escutei a vaia, sorrindo. Que pode essa gente saber de um amor como o nosso? Leve-me, Dorian; leve-me daqui, para onde possamos estar sozinhos. Eu abomino o palco. Podia arremedar uma paixão que não estou sentindo, mas não posso imitar a que me queima como fogo. Oh! Dorian, Dorian! você pode compreender agora o que isso quer dizer? Ainda que isso me fosse possível, seria profanação fazer o papel de uma apaixonada. Foi você quem me fez perceber isso!

Dorian deixou-se cair no sofá e voltou o rosto.

— Matou o meu amor, Sibyl.

Ela o olhou com estranheza e riu-se. Vendo que ele não dizia nada, aproximou-se e afagou-lhe os cabelos com os seus pequenos dedos. Depois se ajoelhou e levou aos lábios as mãos de Dorian. Ele retirou-as, sacudido por uma espécie de arrepio.

— Sim! — exclamou, levantando-se subitamente e caminhando para a porta. — Matou o meu amor! Antes, excitava-me a imaginação. Agora não me desperta sequer a curiosidade. Não me causa, simplesmente, a menor impressão. Eu a amei, porque você era maravilhosa, porque tinha talento e inteligência, porque concretizava o sonho dos grandes poetas e dava forma e substância às criações da arte. Desprezou tudo isso. Logo, é superficial e tola. Meu Deus, que loucura a minha! Como pude amá-la? Agora deixou de existir para mim. Não tornarei a vê-la, não tornarei a pensar em você, nunca mais direi o seu nome! Nem imagina o que foi para mim outrora. Sim, outrora... Nem me quero lembrar disso. Antes nunca a tivesse visto! Você estragou o romance da minha vida. Muito pouco sabe você do amor, se acha que ele pode ofuscar a arte! Sem a sua arte, que é você? Eu lhe daria toda a glória, a riqueza, o esplendor. Você teria o mundo aos seus pés e usaria o meu nome. Que é você agora? Não passa de uma atriz de terceira ordem com uma carinha bonita!

Lívida, trêmula, a jovem juntou as mãos e disse com voz entrecortada:

— É sério, Dorian, ou está representando um papel?

— Representar, eu? Deixo isso a você que representa tão bem! — protestou Dorian, colérico.

Sibyl levantou-se e correu para ele com uma expressão triste, sofredora. Pousou-lhe a mão no braço, encarou-o. Ele repeliu-a.

— Não me toque!

Com um gemido surdo, Sibyl caiu-lhe aos pés e ficou imóvel. Dir-se-ia uma flor pisoteada.

— Dorian, Dorian, não me abandone! Perdoe se representei mal. Pensei em você o tempo todo. Mas tornarei a experimentar, trabalharei. Percebi tão de repente que o amo! Talvez nunca chegasse a saber, se você não me beijasse... se não trocássemos aquele beijo!... Beije-me outra vez, meu amor! Não me abandone, é mais do que posso suportar. Oh! Não me deixe assim! Meu irmão... Não; não importa! ele não pensa o que diz, foi brincadeira... Mas você não me poderia perdoar esta vez? Estudarei, tentarei melhorar! Não seja cruel comigo, eu o prezo mais do que tudo neste mundo! Afinal, foi a única vez que lhe desagradei. Tem razão, Dorian! eu devia mostrar-me mais artista. Foi estupidez; não me pode dominar. Não me abandone, Dorian, não me abandone...

Sacudida pelos soluços, Sibyl deixou-se ir ao chão, como uma criatura ferida. Dorian Gray baixou para ela os belos olhos, com os lábios contraídos num ricto desdenhoso. Sempre há um quê de ridículo nas emoções das criaturas que deixamos de amar. Dorian achava Sibyl Vane intoleravelmente melodramática; as lágrimas e os soluços da moça prostrada enervavam-no.

— Vou-me — disse afinal. — Lastimo dizer-lhe que não nos tornaremos a ver. Você me desiludiu.

Ela chorava silenciosamente. Não replicou; aproximou-se de rastos e estendeu comumente as mãos, procurando Dorian. Ele girou nos calcanhares e saiu do camarim. Minutos depois, deixava o teatro.

Não saberia dizer por onde tinha andado. Lembrava-se vagamente de ter percorrido vielas mal-iluminadas, de ter costeado galerias escuras e casas de aparência equívoca, de ser perseguido por mulheres de voz rouquenha e gargalhadas estridentes. Esbarrara em bêbados resmungões que se apostrofavam a si próprios como se fossem símios monstruosos. Vira grupos grotescos de crianças encolhidas nos portais, e dos pátios escuros tinham-lhe chegado ao ouvido gritos e pragas.

Ao alvorecer, encontrava-se nos arredores de Covent Garden. A escuridão dissipava-se e o céu, no alto, rosado de reflexos tênues, lembrava uma pérola perfeita. Carroças enormes, cheias de lírios oscilantes, desciam devagar a avenida lustrosa e deserta. O perfume das flores impregnava o ar. E a sua beleza abrandou um pouco a dor de Dorian. Este acompanhou os veículos até o mercado e assistiu à descarga. Um carroceiro de jaqueta branca ofereceu-lhe cerejas. Dorian agradeceu, admirado de que o homem recusasse a gratificação, e pôs-se a comer distraidamente os frutos. Colhidos pela meia-noite, eles ainda traziam na polpa a frialdade do luar. Uma extensa fila de rapazes trazia cestas enormes de tulipas raiadas e de rosas rubras e amarelas; desfilaram diante de Dorian e continuaram o caminho, insinuando-se por entre o amontoado verde-jade das hortaliças. Debaixo do pórtico de pilares pardacentos, decorados pelo sol, grupos de moças desalinhadas, de cabeça descoberta, aguardavam indolentemente o fim do leilão. Outras aglomeravam-se às portas giratórias do Café Piazza. Os pesados animais de tiro resvalavam e escarvavam o calçamento irregular, sacudindo os guizos dos arreios. Alguns dos cocheiros dormiam, deitados em pilhas de sacos. Pombos de peito irisado e pezinhos róseos corriam em torno, bicando grãos.

Ao termo de instantes, Dorian acenou a um cocheiro Apeou-se à porta de casa e demorou-se um momento no portal, a olhar a praça silenciosa, as janelas fechadas, de persianas vigilantes. O céu era, já então, uma pura opala, contra a qual os telhados brilhavam como prata. Uma chaminé fronteira lançava ao ar nacarado uma espiral de fumaça arroxeada.

No bojo dourado da grande lanterna veneziana, relíquia de alguma gôndola ducal que pendia do teto do vasto saguão guarnecido de carvalho, as luzes ainda acesas assemelhavam-se a pétalas azuis e flamejantes, orladas de um fogo branco. Dorian apagouas. Atirou a capa e o chapéu à mesa e atravessou a biblioteca em direção ao quarto de dormir, que era uma espaçosa peça octogonal no andar térreo, e que o seu recém-despertado gosto pelas coisas suntuosas o induzira a decorar com curiosas tapeçarias renascentistas, que descobrira em um sótão abandonado em Selby Royal. Dorian mal girara o trinco, quando o retrato que lhe fizera Basil Hallward lhe atraiu o olhar. O moço recuou como se tivesse tido um sobressalto; depois, entrou no quarto com um ar sumamente perplexo. Acabando de tirar a flor da lapela de seu casaco, hesitou visivelmente; afinal, voltou atrás, chegou-se ao quadro e examinou-o. Ao lusco-fusco mal clareado pelas réstias de luz que entravam pelas persianas, a fisionomia do retrato pareceu-lhe um tanto diferente. A expressão dir-se-ia mudada, como se houvesse uma nódoa de crueldade nos lábios. Não havia dúvida de que aquilo era estranho.

Dorian Gray voltou-se, foi à janela, ergueu a persiana. A claridade da aurora inundou a peça, varreu as sombras fantásticas para os cantos escuros onde elas se encolheram, tiritantes. Mas a expressão singular do retrato continuou a impressionar o original; mais acentuada talvez. A luz do dia mostrava-lhe as linhas cruéis em torno da boca, tão nitidamente como se ele se estivesse vendo em um espelho, depois de praticar uma ação terrível.

Dorian pestanejou. Apanhou da mesa o espelho oval, emoldurado de cupidos de marfim — um dos numerosos presentes de lorde Henry —, e mirou-se, aflito. Nem o mais tênue vinco lhe alterava os lábios rubros. Que significava aquilo?

O moço esfregou os olhos, voltou ao quadro, tornou a perscrutá-lo. Observando bem, não notou diferença alguma. Contudo, era inegável que se alterara completamente. Aquilo não era imaginação dele. Era um fato evidente, horrível.

Dorian Gray deixou-se cair numa poltrona e pôs-se a refletir. Cruzou-lhe subitamente o cérebro a recordação do que ele dissera no estúdio de Basil Hallward no dia em que o retrato ficara pronto. Sim, lembrava-se perfeitamente, formulara um desejo absurdo: que lhe fosse dado ser sempre jovem, conservar intacta a formosura juvenil, enquanto o retrato fosse envelhecendo, acusando na fisionomia os estragos da idade, das paixões e dos pecados!... A efígie pintada mostraria os sulcos dos desgostos, dos pensamentos, ao passo que ele próprio manteria inalterada a flor e a graça da sua adolescência recém-desabrochada... Mas desejos dessa ordem não são realizáveis. São coisas impossíveis; e era até monstruoso pensar nelas. Todavia, ali estava o quadro bem diante dos seus olhos, exibindo um ricto de crueldade na boca.

Crueldade? Acaso ele fora cruel? A culpa era da jovem e não sua.

Sonhara em vê-la como uma grande artista e, porque assim a julgava, dera-lhe o seu amor. E ela o desiludira, fora fútil e indigna. Mas um arrependimento infinito o dominou, ao evocar a imagem de Sibyl prostrada aos seus pés, chorando e soluçando como uma criança. Com que dureza a olhara! Por que nascera assim, com um coração desse feitio? No entanto, ele também sofrera. Durante as três horas terríveis da representação, vivera séculos de dor, eras de tortura. A sua vida valia tanto quanto a de Sibyl. Se ele a magoara, ela também não o tinha poupado. De resto, as mulheres se adaptam, mais do que os homens, ao sofrimento. Vivem das suas emoções, não pensam senão nas suas emoções. Querem os namorados só para ter com quem fazer cenas. Fora lorde Henry quem lhe dissera isso; e lorde Henry conhecia bem as mulheres. Para que havia de se preocupar com Sibyl Vane? Ela já não existia para ele.

Mas o quadro? Como se podia explicar aquilo? O retrato encerrava o segredo e contava a história do original. Ensinara-o a prezar a sua beleza. Pretenderia ensiná-lo a detestar a sua alma? E ele viria a ter ânimo de encará-lo ainda outra vez?

Não. Aquilo era apenas uma ilusão dos seus sentidos alterados. A noite horrível que mal findara deixava espectros atrás de si. Subitamente se formara em seu cérebro a nodoazinha escarlate que acaba por gerar a demência. O quadro não tinha mudado. Era insensatez imaginar semelhante absurdo.

Mas o retrato continuava a observá-lo, com o belo rosto deturpado e o sorriso cruel. Os cabelos dourados fulgiam à luz matinal; os olhos azuis cruzaram-se com os de Dorian e despertaram nele uma piedade infinita não de si, mas da sua efígie. Ela já se alterara; mudaria mais. O ouro da cabeleira desbotaria, murchariam as rosas da carnação. A cada novo pecado, uma nova nódoa lhe ofuscaria a beleza. Ele, porém, se absteria de pecar. Esse retrato, alterado ou não, converter-se-ia no emblema visível da sua consciência. Dorian Gray resistiria às tentações. Deixaria de ver lorde Henry... ou pelo menos de dar ouvido às teorias perniciosas que, no jardim de Basil Hallward, haviam despertado nele o primeiro surto de paixão pelas coisas impossíveis. Sim, cumpria voltar a Sibyl Vane, penitenciar-se, casar com ela, esforçar-se por lhe querer de novo. Era o seu dever. Sibyl devia ter sofrido mais do que ele. Pobre criança! Dorian percebia enfim o seu egoísmo e a sua maldade. Sucumbia outra vez à fascinação da linda adolescente. Haviam de ser felizes; a vida com Sibyl seria bela e pura.

Dorian levantou-se, puxou um largo biombo diante do retrato que não conseguia olhar sem tremer.

— Que horror! — disse consigo, atravessando a sala, para abrir a janela.

Saindo ao ar livre, no gramado, suspirou com alívio, como se o ar fresco da manhã lhe varresse as tétricas paixões. Pensava unicamente em Sibyl. Voltava-lhe um eco indistinto do seu amor e ele repetia sem cessar o nome dela. Os pássaros cantavam no jardim orvalhado. Dir-se-ia que falavam dela às flores dos canteiros.

CAPÍTULO VIII

Dorian Gray acordou muito depois do meio-dia.

O criado entrara várias vezes, nas pontas dos pés, estranhando que o sono do jovem amo se prolongasse tanto. A campainha tocou afinal e Victor acudiu com a bandeja do chá de antiga porcelana de Sèvres e um maço de cartas. Puxou as cortinas de cetim verde-oliva, forradas de azul, que guarneciam as três altas janelas.

— Dormiu bem esta manhã, senhor? — disse o criado, sorrindo.

— Que horas são, Victor? — perguntou Dorian, ainda sonolento.

— Uma e um quarto, senhor.

— Tão tarde assim? Dorian sentou-se na cama, tomou uns goles de chá e passou à correspondência. Uma carta era de lorde Henry e fora entregue nessa manhã por um mensageiro. Dorian hesitou um instante e pôs de lado o envelope. Nas demais, que abriu distraidamente, encontrou uma série de cartões, de convites para jantar, de entradas para exposições particulares, de programas de concertos de beneficência e manifestações análogas, que durante a temporada chovem diariamente na mesa dos jovens elegantes. Viera também a conta de um jogo de toalete de prata lavrada Luís XV, conta que Dorian ainda não se animara a enviar aos tutores, pessoas extremamente à moda antiga, incapazes de compreender que vivemos num tempo em que as coisas desnecessárias são as nossas únicas necessidades. E havia igualmente várias circulares obsequiosas, propondo empréstimos monetários, às taxas mais razoáveis.

Ao cabo de dez minutos, Dorian levantou-se, enfiou um luxuoso roupão de cachemira bordada de seda e passou ao banheiro ladrilhado de ônix. A água fria, depois do longo sono, reanimou-o. Já se lhe apagava na mente a recordação dos acontecimentos da noite. Mal o assaltou, uma ou duas vezes, a vaga sensação de ter participado de um drama estranho que se esfumava, porém, na irrealidade de um sonho.

Terminando de se vestir, Dorian foi à biblioteca e sentou-se à mesinha redonda perto da janela aberta para um ligeiro almoço à francesa. O dia estava delicioso. O ar morno dir-se-ia impregnado de especiarias. Uma abelha entrou e pôs-se a zumbir em torno do vaso azul, cheio de belas rosas amarelas, que o rapaz tinha diante de si. Ele sentia-se plenamente feliz.

Estremeceu, de repente, ao dar com o biombo que pusera diante do retrato.

— Sente frio, senhor? — perguntou o criado, pousando na mesa uma omelete. — Quer que feche a janela?

Dorian meneou a cabeça.

— Não é frio — murmurou.

Seria verdade? O retrato mudara mesmo? Ou fora simplesmente a imaginação que o fizera ver uma expressão maldosa onde sempre houvera um ar feliz? Acaso um retrato pode mudar de expressão? Que absurdo! Boa história para contar a Basil Hallward!... Ele acharia graça.

Entretanto, como se lhe gravara na memória essa mudança de expressão! Ele vira; vira o ricto cruel nos lábios contraídos da sua efígie, primeiro à claridade dúbia da madrugada, depois à luz clara da manhã. E quase teve medo de ficar só na sala. Sabia que mal o criado saísse iria examinar o quadro. E receava à certeza.

Servidos o café e os cigarros, o homem ia retirar-se. Dorian reprimiu a custo a tentação de lhe dizer que ficasse. Chamou-o, quando a porta ia fechar-se atrás dele. O homem estacou, aguardando ordens.

— Não estou em casa para quem quer que seja, Victor — disse o moço, com um suspiro, após uma breve hesitação.

O outro inclinou-se e saiu. Dorian levantou-se, acendeu um cigarro e foi recostar-se nas almofadas fofas do divã fronteiro ao biombo. Era este uma antiga obra espanhola de couro dourado, com um rico desenho Luís XIV. O moço examinou-o com curiosidade, perguntando a si mesmo se alguma vez esse objeto teria ocultado o segredo de uma vida humana.

Deveria retirá-lo, ou não? Por que não o deixaria ficar ali? O que adiantava saber? A ser exato o que vislumbrava, era terrível. Se não fosse verdade, não havia motivo para se preocupar. E, se por má sorte olhos alheios espreitassem atrás do biombo e notassem a horrível mudança? Que diria ele, se Basil Hallward quisesse ver o quadro? Era natural que isso acontecesse. Não, cumpria certificar-se logo. Tudo era preferível a essa incerteza aterradora.

Dorian levantou-se, fechou as portas. Pelo menos estaria só, se tivesse de ver a máscara da sua abjeção. Afastou o biombo e viu-se face a face com a sua imagem. Não havia a menor dúvida: o retrato mudara.

Mais tarde, Dorian Gray recordaria muitas vezes e sempre com estranheza que o seu primeiro olhar ao quadro fora ditado por uma espécie de interesse científico. Não podia acreditar nessa mudança; entretanto, era um fato. Haveria, acaso, alguma afinidade sutil entre os átomos químicos, que se aglutinavam em forma e cor na tela, e a alma que ele levava dentro de si? Seria possível que eles concretizassem o que a alma imaginava, que lhe convertessem os sonhos em realidade? Ou haveria outra razão, outra razão mais terrível? Dorian estremeceu transido de pavor e voltou ao divã. Dali espreitava o retrato, com uma expressão horrorizada.

Uma coisa, pelo menos, esse quadro lhe proporcionara: fizera-o compreender a injustiça e a crueldade do seu procedimento com Sibyl Vane. Não era demasiado tarde para repará-las. Sibyl seria sua esposa. O seu amor irreal, egoísta, cederia a uma influência superior, poderia converter-se em uma paixão mais generosa; e o retrato que lhe fizera Basil Hallward o guiaria na vida, seria para ele o que a santidade é para uns, a consciência para outros e o temor de Deus para todos nós. Há o ópio para o remorso, narcóticos para embalar e adormecer o senso moral. Mas ali estava um símbolo visível da degradação do pecado, um sinal perene do mal que o homem faz à sua própria alma.

O relógio deu três horas, quatro horas, quatro e meia. Dorian Gray não se movia. Tentava reunir os fios escarlates da vida e entrelaçá-los em um desenho; esforçava-se por encontrar o seu caminho no labirinto sinistro da paixão, onde se transviara. Não sabia o que havia de fazer, o que havia de pensar. Afinal, chegou-se à mesa e escreveu uma carta apaixonada à jovem que adorara, implorando perdão, acusando-se de um desvario. Enchia página após página com expressões veementes de arrependimento, de dor. Na auto-acusação há uma espécie de volúpia. Acusando-nos, sentimos que ninguém mais tem o direito de nos censurar. É a confissão que nos absolve, e não o sacerdote. Ao terminar a carta, Dorian sentiu que estava perdoado.

De repente bateram à porta e a voz de lorde Henry disse do outro lado:

— Preciso vê-lo, meu rapaz. Deixe-me entrar e já! Não admito que se aferrolhe assim.

A princípio, Dorian não respondeu, não fez um movimento. As batidas à porta continuavam mais e mais enérgicas. Sim, era preferível receber lorde Henry, explicar-lhe o novo modo de vida que se propusera adotar, mesmo que tivesse de se discordar com ele, de separaram-se de vez, se fosse inevitável. Dorian levantou-se rapidamente, ocultou o quadro com o biombo e abriu a porta.

— Lamento sinceramente o que houve, Dorian — disse lorde Henry, entrando. — Mas você não deve afligir-se demais por isso.

— Refere-se a Sibyl Vane?

— Naturalmente — replicou lorde Henry, afundando em uma poltrona e descalçando devagar as luvas amarelas. — De certo ponto de vista, é horrível; mas você não tem culpa. Diga-me: foi aos bastidores e falou com ela depois do espetáculo?

— Sim.

— Eu tinha certeza! E fez-lhe uma cena?

— Fui brutal, Harry... absolutamente brutal. Mas agora tudo está em ordem. E não lamento nada do que aconteceu. Serviu-me para me conhecer melhor.

— Ah! Estimo que aceite assim as coisas, Dorian. Receava encontrá-lo mergulhado em remorsos, arrancando com desespero os seus lindos cabelos anelados.

— Passei por tudo isso — tornou Dorian, sorrindo e meneando a cabeça. — Neste momento, sinto-me perfeitamente feliz. Antes de tudo, fiquei sabendo o que é a consciência. Não é nada do que você me disse. É o que há de mais divino em nós. Não se ria mais do que lhe digo, Harry... pelo menos na minha presença. Resolvi ser bom. Não tolero a idéia de ter uma alma hedionda.

— Encantadora base artística para a moral, Dorian! Diga-me apenas como pretende começar?

— Casando com Sibyl Vane.

— Casando com Sibyl Vane! — exclamou lorde Henry, levantando-se inopinadamente e fixando no amigo uns olhos esgazeados de assombro. — Mas, meu caro Dorian...!

— Sim, Harry, eu sei o que vai dizer. Alguma coisa de arrepiar sobre o casamento. Não fale. Não me torne a dizer coisas dessa espécie. Há dois dias pedi a Sibyl Vane que se casasse comigo. Não tenciono faltar ao compromisso. Ela será minha mulher.

— Sua mulher! Dorian!... Não recebeu então a minha carta? Escrevi-lhe esta manhã... mandei a carta pelo meu criado.

— A sua carta? Ah! sim, lembro-me agora. Ainda não li a sua carta, Harry, com medo de nela achar alguma coisa desagradável. Com os seus epigramas, você reduz a vida a frangalhos.

— Então, não sabe de nada?

— Que quer dizer?

Lorde Henry deu alguns passos na sala e sentou-se ao lado do amigo.

— Dorian — disse, prendendo-lhe as mãos nas suas —, a minha carta... não se assuste... era para lhe dizer que Sibyl Vane morreu.

Com um grito de dor o rapaz levantou-se, arrebatando as mãos às de lorde Henry.

— Morreu?! Sibyl morreu? Não é verdade! Que mentira horrível! Como se atreve a dizer isso?

— É a pura verdade — tornou gravemente lorde Henry. — Está em todos os jornais da manhã. Escrevi-lhe para lhe dizer que não se avistasse com ninguém antes de me falar. Haverá naturalmente um inquérito, em que você não deve envolver-se. Em Paris, uma coisa dessas faz a reputação de um homem. Mas em Londres há tantos preconceitos! Aqui, não convém estrear com um escândalo. Guarda-se isso para nos tornarmos interessantes na velhice. Presumo que ninguém sabe o seu nome no teatro, não? Se não souberem, tudo está direito. Alguém o viu entrar no camarim? É um ponto importante.

Dorian não respondeu logo. Estava aturdido de horror.

— Harry — gaguejou afinal —, você falou em inquérito... Que significa isso? Acaso Sibyl...? Oh! Harry, não posso mais... Fale depressa! Diga tudo de uma vez.

— Não tenho a menor dúvida de que não foi acidente, Dorian, embora seja esta a versão para o público. Pelo que parece, ao deixar o teatro com a mãe, pouco depois das duas horas, a menina alegou que esquecera alguma coisa no camarim. Esperaram algum tempo por ela; ela não descia. Afinal foram encontrá-la já sem vida, no assoalho do camarim. Tomou, por engano talvez, algum veneno; desses que se usam no teatro. Não sei ao certo se ácido prússico ou alvaiade. Mais provavelmente ácido prússico, pois a morte foi instantânea.

— Harry, Harry, é terrível!

— Sim; trágico, realmente. Mas você não deve envolver-se nisso. Vi no jornal que ela tem dezessete anos. Pensei que fosse mais nova. Parecia tão criança, tão alheia à arte de representar! Não se deixe abater por isso, Dorian. Jante comigo; depois iremos à ópera. Canta a Patti, esta noite. Todos estarão lá. Pode ir à frisa de minha irmã. Achará algumas lindas convidadas.

— Fui eu que assassinei Sibyl Vane! — murmurou Dorian Gray. — Matei-a, como se lhe cortasse o pescoço com uma faca. Nem por isso as rosas são menos belas ou os pássaros cantam com menos entusiasmo no meu jardim. E logo à noite eu janto com você, vou à ópera e acabo o serão ceando em alguma parte. A vida é extremamente dramática! Se lesse isso em um livro, Henry, creio que teria lágrimas nos olhos. Como aconteceu na realidade, não sei por quê, é maravilhoso demais para chorar. Aqui está a primeira carta de amor que escrevi na minha vida. Curioso! A minha primeira carta de amor é endereçada a uma defunta. Esses entes pálidos e mudos a que chamamos defuntos poderão sentir? Sibyl!... Ela poderá sentir, saber, ouvir? Oh! Harry, como amei Sibyl! Parece-me um passado tão distante! Ela era tudo para mim. Depois, essa noite horrenda... foi mesmo a noite passada?... quando ela trabalhou tão mal... partiu-me o coração. Ela deu-me uma explicação muito patética, mas que não me comoveu. Julguei-a fútil. De repente, aconteceu uma coisa que me apavorou. Não posso dizer-lhe o que é, mas creia: é terrível.

Decidi voltar para ela, senti que procedera mal. E ela está morta... Meu Deus, meu Deus, Harry, que hei de fazer? Você nem desconfia do perigo que me ameaça; e não há nada, nada em que eu me possa apoiar! Só Sibyl me salvaria. Não tinha o direito de morrer. Foi egoísmo!

Lorde Henry tirou um cigarro de uma elegante cigarreira e puxou do bolso um porta fósforos de metal dourado.

— Meu caro Dorian, o único meio de se regenerar um homem, por obra de uma mulher, é ela aborrecê-lo a ponto de o fazer perder todo o interesse pela vida. Se casasse com essa menina, você acabaria por se considerar desgraçado. Naturalmente, tratá-la-ia com bondade; sempre é possível sermos bons com as pessoas que não nos inspiram o menor interesse. Ela, porém, não tardaria a notar a sua completa indiferença. Quando uma mulher descobre a indiferença do marido, ou se entrouxa assustadoramente, ou passa a usar chapéus elegantíssimos presenteados pelo marido de outra mulher. Isso, sem falarmos no disparate que seria esse casamento que eu, pelo menos, nunca admitiria. Garanto-lhe que sob todos os aspectos seria um desastre.

— Talvez fosse — murmurou o rapaz, muito pálido, andando de um a outro lado do quarto: — Mas calculei que fosse meu dever. Não sou culpado de que essa tragédia horrível me iniba de proceder corretamente. Lembro-me do que você me disse uma vez: há uma fatalidade contra as boas resoluções; sempre são tomadas demasiado tarde. A minha foi assim...

— As boas resoluções são tentativas inúteis de contrariar as leis científicas. Originam-se de vaidade pura. O resultado é absolutamente nulo. De quando em quando, nos dão uma ou outra dessas emoções poderosas e estéreis que têm certo encanto para os fracos. É o que há a dizer sobre elas. São simplesmente cheques emitidos pelos homens sobre um banco em que não têm fundos.

— Harry — exclamou Dorian, sentando-se perto de lorde Wotton —, por que não consigo sentir essa tragédia tão profundamente como desejaria? Não me julgo um desalmado. Que lhe parece?

— Fez tolices demais na última quinzena para merecer esse título, Dorian — respondeu lorde Henry, com o seu sorriso meigo e melancólico.

Dorian franziu a testa.

— Não gosto dessa explicação, Harry. Mas estimo que não me julgue sem coração. Não sou, de fato, malvado. Sei que não sou. Entretanto, o que aconteceu não me afeta como deveria. Parece-me simplesmente o epílogo extraordinário de uma peça excepcional. Tem a beleza terrível da tragédia grega, uma tragédia em que desempenhei um grande papel, mas que não me impressionou.

— Um caso interessante — comentou lorde Henry, que se deleitava em fazer vibrar o egotismo inconsciente do rapaz. — Extremamente curioso. Para mim, a verdadeira explicação é a seguinte: acontece muitas vezes que as tragédias reais da vida ocorrem de maneira pouco artística e nos ferem pela sua violência rude, sua incoerência total; pela ausência absurda de significação e absoluta falta de estilo. Afetam-nos, exatamente como nos pode afetar a vulgaridade. Causam uma impressão de força bruta que nos revolta. Às vezes, porém, a tragédia dotada de elementos de beleza artística atravessa-nos a vida. Se esses elementos de beleza forem reais, o drama apela para o nosso senso de efeito dramático; de súbito, percebemos que já não somos atores e sim espectadores da tragédia. Ou melhor: somos uma e outra coisa. Contemplamo-nos, e a simples singularidade do espetáculo cativa-nos. No caso presente, que foi que aconteceu de fato? Alguém suicidou-se por amor a você. Quem me dera ter tido alguma vez essa sensação! Eu me converteria em um namorado do amor para o resto da vida. As criaturas que me adoraram (não foram muitas, mas sempre houve algumas) teimaram em viver muito depois de estar morto o meu amor por elas, ou delas por mim. Engordaram, tornaram-se enfadonhas e, mal me encontram, enveredam pelas recordações. Que memória terrível têm as mulheres! Que coisa espantosa! E que absoluta estagnação intelectual ela revela! Devemos absorver o colorido da vida e não guardar na memória as suas minúcias. As minúcias são sempre vulgares.

— Terei de semear papoulas no meu jardim — suspirou Dorian.

— Não é preciso — atalhou o companheiro. — A vida tem sempre as mãos cheias de papoulas. Naturalmente, uma ou outra vez as coisas andam mais devagar. Em certa época usei uma temporada inteira na lapela só violetas, como forma artística de luto por um romance que teimava em não morrer. Morreu afinal e eu esqueci o que o matou; penso que foi o oferecimento dela de sacrificar tudo no mundo por mim. Este é sempre um momento terrível! Enche-nos de medo da eternidade. Pois bem (acredita?), a semana passada, em casa de lady Hampshire, vi-me sentado à mesa ao lado dessa ex-namorada, que insistiu em ressuscitar a história toda, escavando o passado, perscrutando o futuro. Eu sepultara o meu romance sob uma camada de lírios. Ela o desenterrou, garantiu que eu lhe arruinara a vida. A bem da verdade, direi que essa dama jantou fartamente; logo, não tenho de me preocupar com remorsos. Mas que falta de tato ela mostrara! O único encanto do passado é ser o passado. As mulheres, porém, nunca sabem ao certo quando caiu o pano. Exigem sempre um sexto ato; e, embora a peça já não interesse absolutamente, propõem que ela continue. Se lhes derem ouvido, toda comédia teria um fim trágico e todo drama acabaria em farsa. São deliciosamente artificiais, mas carecem de senso da arte. Teve mais sorte do que eu, Dorian. Garanto-lhe: nenhuma das mulheres que conheci faria por mim o que Sibyl Vane fez por você. As mulheres vulgares sempre se consolam. Algumas recorrem, para isso, às cores sentimentais. Não se fie em mulher que se vista de lilás, seja qual for a idade dela; ou nas de mais de trinta e cinco anos, que são doidas por fitas cor-de-rosa. Isso significa invariavelmente que elas têm uma história. Outras encontram grande conforto em descobrir as boas qualidade dos seus maridos. E atiram-nos à cara a sua felicidade conjugal, como se fosse o mais empolgante dos pecados. A algumas oferece consolo a religião... cujos mistérios têm todo o encanto de um namoro, disse-me certa vez uma mulher. E eu a compreendo perfeitamente. Aliás, nada nos envaidece tanto como dizerem-nos que somos pecadores. A consciência torna-nos egotistas. Sim; não há, em verdade, limites para as consolações que a mulher pode encontrar na vida moderna. E ainda não mencionei a mais importante.

— Qual, Harry? — perguntou Dorian, com indiferença.

— Ora! A consolação natural: roubar a outra o admirador que perdeu. Na boa sociedade, isso sempre absolve uma mulher. Mas, com franqueza, Dorian, como Sibyl Vane devia ser diferente das mulheres nossas conhecidas! Para mim, na morte dessa menina há beleza. Folgo de viver em um século no qual ainda ocorrem tais milagres. Eles nos levam a crer na realidade de coisas com que brincamos: em romance, em paixão e no amor.

— Esquece que eu fui horrivelmente cruel para com ela.

— Desconfio que as mulheres apreciam a crueldade, a crueldade sem dissimulações, acima de qualquer coisa. Elas têm instintos singularmente primitivos. Nós as emancipamos; elas, porém, continuam sendo escravas à procura de senhor. Gostam de ser dominadas. Estou certo de que você foi esplêndido. Nunca o vi real e absolutamente zangado, mas calculo que devia ser encantador. Afinal, certa frase que você me disse anteontem, e eu não tomei a sério, exprimia uma verdade absoluta; é a chave de todo este enredo.

— Que lhe disse eu, Harry?

— Que Sibyl Vane representava para você todas as heroínas românticas. Hoje, Desdêmona; amanhã, Ofélia. Se uma noite morria em vestes de Julieta, na noite seguinte, ressuscitava como Imogênia.

— Não ressuscitará agora —

disse Dorian, escondendo o rosto nas mãos.

— Não. Não ressuscitará. Interpretou o seu último papel. Mas você deve encarar essa morte solitária entre o falso brilho de um camarim como simples fragmento de uma estranha e lúgubre tragédia jacobita, uma cena de Webster, de Ford ou de Cyril Tourneur. Ela nunca viveu de verdade e, assim, realmente nunca morreu. Pelo menos para você ela será sempre um sonho, um fantasma que perpassou nas peças de Shakespeare e as embelezou com a sua presença, uma flauta de onde a música shakespeariana se evolava, mais rica e mais jubilosa. Mal entrou em contato com a realidade, esta e ela desiludiram-se (uma decepção recíproca), e ela se foi. Chore, se quiser, pela pobre Ofélia. Cubra a cabeça de cinzas, porque Cordélia foi estrangulada. Clame ao céu contra a morte da filha de Brabâncio. Não desperdice, porém, as suas lágrimas por Sibyl Vane. Esta era menos real do que essas heroínas fictícias.

Houve um silêncio. O entardecer escurecia a sala. Sem ruído, com pés de prata, as sombras vinham do jardim. As cores desmaiavam, desprendiam-se lentamente das coisas.

Ao termo de instantes, Dorian Gray levantou a cabeça.

— Iluminou-me a respeito de mim mesmo, Harry — murmurou, com um suspiro de alívio. — Eu senti tudo o que acaba de me dizer mas tinha medo. Não conseguia exprimir os meus sentimentos. Como me conhece bem! Não tornaremos a falar do que aconteceu. Foi uma coisa maravilhosa. Será que a vida me reserva outras igualmente extraordinárias?

— A vida reserva-lhe tudo, Dorian. Com a sua beleza, não há nada a que você não possa aspirar.

— Suponhamos, porém, que eu fique feio, enrugado e envelhecido? Que será então, Harry?

— Ah! Então — disse lorde Henry; levantando-se —, então você terá de conquistar as suas vitórias. Por ora elas o procuram espontaneamente. Trate de conservar essa aparência. Vivemos em um tempo que lê demais para ser ajuizado e pensa demais para ser belo. Não podemos dispensá-lo, meu caro. Agora, vista-se e vamos ao clube. Estamos um tanto atrasados.

— Prefiro encontrar-me com você na ópera, Harry. Estou muito cansado para jantar. Que número é a frisa de sua irmã?

— Vinte e sete, se não me engano. Verá o nome dela na porta. Lamento que não queira jantar comigo.

— Não me animo. Muito obrigado por tudo o que fez por mim. Não há dúvida de que é o meu melhor amigo. Ninguém me compreendeu como você.

— Estamos apenas começando a nossa amizade, Dorian — tornou lorde Henry, apertando a mão do rapaz. — Até logo. Espero vê-lo antes das nove e meia. Lembre-se: quem canta hoje é a Patti.

Mal a porta se fechou, Dorian tocou a campainha. Pouco depois, Victor fechava as persianas e acendia as luzes. O amo esperava, impaciente, que ele saísse, achando que o criado gastava um tempo interminável em tudo o que fazia.

Assim que se viu só, Dorian puxou o biombo. Não, o retrato não acusava novas alterações. Soubera, antes dele, da morte de Sibyl Vane, tomava conhecimento dos fatos da vida conforme iam ocorrendo. A crueldade que lhe deformava as linhas delicadas da boca aparecera decerto quando a jovem tomara o veneno, fosse este qual fosse. Ou pouco lhe importavam os efeitos? Acaso o interessava apenas o que se passava na alma? Talvez. Ou, talvez, qualquer dia ele visse a alteração operar-se ante os seus próprios olhos... E esperava que assim fosse, por mais que essa esperança o fizesse tremer.

Pobre Sibyl! Simulara tantas vezes a morte no palco e a morte viera, levara-a consigo. Como se portara Sibyl, nessa derradeira cena? Amaldiçoara-o na agonia? Não, ela morrera de amor por ele. Daí em diante, o amor haveria de ser para ele um sacramento. Sibyl expiara, sacrificando a vida. E ele perdoava-lhe o que sofrera naquela noite horrenda, no teatro. Quando se lembrasse dela, sempre a veria como uma estranha personagem de tragédia, enviada à cena do mundo para mostrar a suprema realidade do amor. Uma estranha personagem de tragédia? Dorian Gray sentiu os olhos úmidos, ao evocar o rosto quase infantil de Sibyl, os seus modos vivos e caprichosos, a sua graça tímida e vibrante. Enxugou nervosamente as lágrimas e voltou-se de novo para o retrato.

Percebia que soara a hora de escolher o seu caminho. Ou já estaria traçado? Sim, a vida decidira por ele — a vida e a sua imensa curiosidade de conhecer a vida. A eterna juventude, a paixão infinita, os prazeres secretos e requintados, as alegrias delirantes, os desvarios do pecado — ele haveria de conhecer tudo isso. O retrato carregaria o fardo da sua abjeção.

Pungiu-o uma sensação de dor à idéia das profanações reservadas ao belo rosto reproduzido na tela. Certa vez, com uma travessura pueril de Narciso, Dorian beijara ou simulara beijar os lábios pintados, que nesse momento lhe sorriam com tanto azedume. Passara manhãs inteiras sentado defronte do quadro, admirando-lhe a beleza, quase apaixonado por ele. Iria o retrato alterar-se toda vez que ele cedesse a uma tentação? Acabaria sendo um objeto monstruoso, repelente, de se esconder em quarto fechado e longe da luz do sol que tantas vezes lhe dourara a maravilhosa cabeleira ondulada? Que pena! Que pena!

Dorian Gray teve por um instante a inspiração de rezar, a fim de que cessasse a horrível simpatia que o ligava ao retrato. Ele mudara, em atendimento a um pedido; em resposta a uma prece, talvez permanecesse imutável. Contudo, haveria alguém que, embora conhecendo pouco a vida, rejeitasse a probabilidade de ser perenemente jovem, por mais fantástica que lhe parecesse essa possibilidade, ou apesar das conseqüências fatídicas que dela pudessem advir? Ademais, era coisa que dependia dele? Seria o desejo formulado por ele a causa da substituição? Não obedeceria ela a alguma curiosa razão científica? Se o pensamento pode influenciar um organismo vivo, não exercerá influência em coisas inanimadas e inorgânicas? Mais ainda: independentemente de todo pensamento ou desejo consciente, não poderiam os objetos que nos rodeiam vibrar em uníssono com o nosso temperamento e as nossas paixões, átomos atraindo átomos, num amor secreto de singular afinidade? Mas a razão pouco importava. Dorian Gray jamais tornaria a tentar os poderes ocultos com um pedido. Se o retrato tinha de mudar, mudasse! Pronto! Que adiantava querer sondar o mistério?

Teria, aliás, verdadeiro prazer em observá-lo. Através dele, penetraria no âmago do seu "eu". Esse quadro seria para ele o mais mágico dos espelhos. Revelara-lhe o seu corpo e assim lhe mostraria a sua alma. E, chegado o inverno, ele ainda estaria onde a primavera se abeira do limiar do verão. Quando o sangue fugisse das faces da efígie, deixando atrás de si uma pálida máscara de giz opaco e olhos baços, Dorian Gray continuaria a ostentar o viço da mocidade. Não murcharia jamais a flor da sua beleza, nem esmoreceria a sua pulsação vital. À semelhança dos deuses da Grécia, ele seria forte, ágil e alegre. Que importava o que acontecia à imagem pintada na tela? Ele estaria intacto. E isso era tudo.

Dorian tornou a colocar o biombo diante do quadro. Já sorria e, sorrindo, entrou no quarto onde o criado aguardava as suas ordens.

Uma hora depois assistia à ópera; e lorde Henry se apoiava no espaldar da cadeira ocupada por ele.

CAPÍTULO IX

Na manhã seguinte, Basil Hallward entrou no quarto de Dorian, à hora em que este fazia a primeira refeição.

— Folgo de encontrá-lo em casa, Dorian — disse gravemente o artista; — procurei-o ontem à noite, disseram-me que estava na ópera. Naturalmente, logo vi que não era possível, mas estimaria que você tivesse dito à criadagem aonde ia de fato. Passei uma noite horrível, com medo de que a uma desgraça sucedesse outra desgraça. Por que não me telegrafou, quando o informaram? Eu soube casualmente, lendo a última edição do *Globe,* no clube. Vim para cá imediatamente e fiquei desolado por não o encontrar. Faço idéia do que sofreu, se isso me aflige como nem lhe sei dizer! Mas onde andava você? Visitando a mãe da moça? Pensei por um instante em ir lá; o endereço estava no jornal: Easton Road, parece-me. Depois tive medo de exacerbar uma dor que não poderia aliviar. Pobre mulher! Em que estado ela deve estar! A sua filha única, ainda por cima... Que disse ela de todo esse drama?

— Meu caro Basil, como hei de saber? — redargüiu Dorian, visivelmente aborrecido, sorvendo uns goles de vinho branco de um cálice dourado de cristal de Veneza. — Eu assistia à ópera, à qual você também deveria ter ido. Conheci a irmã de Harry, em cuja frisa estivemos. Ela é encantadora; e a Patti cantou divinamente. Não me torne a falar desses horrores. Se não se fala de uma coisa, é sinal de que ela nunca existiu. Como diz Harry, só a expressão é que dá realidade às coisas. Fique sabendo que Sibyl não era filha única dessa mulher. Ela tem ainda um filho, ótimo rapaz, pelo que parece. Não está no teatro, é marinheiro, ou sei lá o quê... Agora, fale-me de você, Basil, do que está pintando...

— Você foi à ópera? — articulou lentamente Hallward, com verdadeira angústia na voz. — Foi à ópera, enquanto Sibyl Vane jazia morta em alguma pocilga? E fala de mulheres encantadoras, da Patti cantando divinamente! Isso, antes mesmo de descansar na sepultura a menina que você amou! Pense, homem, no horror a que está condenado aquele corpo frágil e puro!

— Chega, Basil! Não quero ouvir mais! Não admito que diga isso. O que aconteceu, aconteceu. O passado é o passado.

— Você chama de passado ao dia de ontem?

— Que importa o tempo decorrido? Só os espíritos superficiais necessitam de anos para se libertarem de uma emoção. O homem que é senhor de si mesmo pode emancipar-se de um pesar tão depressa como é capaz de inventar uma distração. Eu não pretendo estar à mercê das minhas emoções. Quero usá-las, aproveitá-las, dominá-las.

— Que horror, Dorian! Alguma coisa o transformou completamente. Por fora, você ainda é o belo rapaz que, não faz muito, ia ao meu estúdio e posava diariamente para o seu retrato: um rapaz simples, afetuoso, sem afetação. A criatura mais inocente deste mundo. Agora, não sei o que lhe sucedeu. Fala como se não tivesse coração, como se desconhecesse a piedade. É tudo influência de Harry, eu sei!

Dorian Gray corou violentamente. Chegou à janela e correu por um instante o olhar pelo jardim viçoso, irisado e cheio de sol.

— Devo muito a Harry, Basil — disse enfim. — Mais do que a você. Você ensinou-me só a ser vaidoso.

— E sou bem castigado por isso, Dorian... ou o castigo virá um dia.

— Não o compreendo, Basil. Não sei o que quer. Que procura?

— O Dorian Gray que eu tanto gostava de retratar — disse tristemente o artista.

O moço aproximou-se dele, pousou-lhe a mão no ombro.

— Chegou tarde, Basil. Ontem, quando me disseram que Sibyl Vane se suicidara...

— Sibyl Vane suicidou-se! Meu Deus! Tem certeza do que diz? — perguntou o pintor, consternado.

— Meu caro Basil! Naturalmente, você não acreditou na história do acidente banal. É claro que ela se suicidou...

— Que horror! — repetiu Hallward, sacudido por um arrepio, escondendo o rosto nas mãos.

— Não diga "que horror!" — tornou Dorian Gray. — É uma das grandes tragédias românticas do século. De ordinário, a vida privada dos atores é do gênero mais rotineiro. Eles são bons maridos ou esposas fiéis, ou qualquer outra coisa igualmente enfadonha. Compreenda o que eu quero dizer: virtudes da classe média e tudo o que as acompanha. Sibyl era diferente! Habituada a ser uma heroína, viveu a sua mais bela tragédia. Na última noite em que atuou no palco... a noite em que você a viu... representou mal, porque percebera a realidade do amor. Desiludida dessa realidade, morreu como poderia morrer Julieta: passou-se de novo para a esfera da arte. Ela tem um quê de mártir. A sua morte reveste-se de toda a inutilidade patética, da beleza vã do martírio. Mas, como eu ia dizendo, não pense que eu não sofri. Se viesse ontem, a certa hora... pelas cinco e meia, talvez, ou um quarto para as seis, você me encontraria em lágrimas. O próprio Harry, que esteve aqui e me trouxe a notícia, não tem idéia do que eu senti. Sofri intensamente. Depois passou. Não posso repetir uma emoção. Ninguém pode, salvo os sentimentais. E você é muito injusto, Basil. Veio para me consolar; idéia muito louvável. Achou-me consolado e ficou furioso! Eis como são os consoladores! Você me lembra uma história que Harry me contou: a de certo filantropo que passou vinte anos da vida a corrigir não sei que abuso, a emendar não sei que lei injusta. Conseguiu-o afinal e nada pôde exceder, depois, a sua decepção. Não tendo nada a fazer, quase morreu de aborrecimento e tornou-se misantropo declarado. Outra coisa, Basil: se realmente deseja consolar-me, procure fazer-me esquecer, ou considerar o que se passou de um ponto de vista artístico. Foi Gautier, se não me engano, que escreveu sobre o consolo das artes? Lembro-me de ter lido esta expressão deliciosa, em um livrinho primorosamente encadernado que apanhei um dia, no seu estúdio. Bom, lá por isso não sou como o rapaz da história que você me contou em Marlow, para o qual o cetim amarelo pode consolar de todas as misérias da vida. Adoro as coisas belas que se podem tocar e manusear: os brocados antigos, os bronzes patinados, os objetos de laca, os marfins lavrados, um ambiente que revele gosto, luxo, aparato... Prezo, porém, muito mais, o temperamento artístico criado ou revelado por esses tesouros. Tornar-se espectador da sua própria vida é, para o homem, como diz Harry, escapar aos sofrimentos da vida. Noto que você estranha a minha linguagem. Nem calcula como eu me desenvolvi! Quando você me conheceu eu era um colegial. Agora sou um homem, com paixões novas, pensamentos e idéias diferentes. Eu também sou diferente, mas nem por isso você me queira menos. Mudei, mas você deve continuar a ser meu amigo. Naturalmente quero muito a Harry; apesar disso, reconheço que você é melhor do que ele. Não que seja mais forte... você tem muito medo da vida... mas realmente você é melhor. Ademais, nós sempre nos demos tão bem! Não me abandone, Basil, não se ajuste comigo. Eu sou o que sou. E está dito tudo.

O pintor sentia-se estranhamente comovido. Votava uma ternura infinita a esse adolescente, cuja personalidade assinalava uma etapa decisiva da sua vida. Não teria ânimo de lhe fazer outras censuras. Afinal, essa indiferença talvez não passasse de um estado de espírito passageiro. Havia tantas qualidades, tanta nobreza nesse rapaz!

— Está bem, Dorian — disse afinal Hallward, com um sorriso triste. — Não lhe tornarei a falar desse fato horrível. Espero que o seu nome não seja envolvido nele. O inquérito inicia-se hoje à tarde. Você não foi convocado?

Dorian meneou a cabeça. A palavra "inquérito" desagradava-lhe profundamente. Que termo trivial!

— Lá, ninguém sabe o meu nome.

— Nem ela?

— Só o meu nome de batismo; e estou certo de que não o disse a ninguém. Contou-me, certa vez, que no teatro todos tinham curiosidade de saber quem eu era. Ela respondia invariavelmente: "o Príncipe Encantador". Uma atenção delicada... Deveria desenhar-me um esboço de Sibyl, Basil. Eu gostaria de guardar dela mais do que a lembrança de alguns beijos e de poucas palavras entrecortadas pela emoção.

— Experimentarei, Dorian, se faz questão. Mas prometa voltar ao atelier e posar como outrora. Não posso continuar sem você...

Dorian Gray recuou instintivamente.

— Nunca mais posarei para você, Basil. É impossível...

O artista encarou-o.

— Que absurdo, menino! Quer dizer que não gostou do retrato que lhe fiz! Onde está ele? Por que o escondeu com esse biombo? Deixe-me ver o quadro. É a minha obra-prima. Tire daí esse biombo, Dorian. Que estupidez a do seu criado! Encobrir assim essa tela... Bem me pareceu, quando entrei, que o quarto estava diferente!

— O criado não tem nada com isso, Basil. Pensa que eu lhe entrego o arranjo do quarto? O das flores, se tanto... às vezes. Não. Fui eu quem colocou ali o biombo. A luz batia demais no retrato.

— Batia demais! Não diga isso, meu filho! O quadro está no lugar que lhe convém! deixe-me ver...

Hallward encaminhou-se para o canto do quarto. Um grito de terror escapou-se dos lábios de Dorian, que se interpôs precipitadamente entre o artista e o biombo. Estava lívido.

— Não olhe para o quadro, Basil! Não quero!

— Não quer que eu veja o meu quadro? Está brincando! Por que não hei de olhar?

— Palavra de honra, Basil, se você olhar o retrato não lhe tornarei a falar em toda a minha vida. É sério. Não lhe dou explicações nem me peça nenhuma. Mas lembre-se bem: se tocar nesse biombo, tudo estará acabado entre nós.

Hallward estacou, paralisado de espanto. Nunca vira Dorian nesse estado: trêmulo, pálido de raiva, com as mãos crispadas e os olhos convertidos em dois discos de fogo azulado.

— Dorian...

— Não diga nada!

— Mas que história é esta? Naturalmente que não olharei o quadro, se isso o contraria — tornou o pintor, com certa frieza, dando as costas ao biombo e dirigindo-se para a janela. — Realmente, porém, parece-me um tanto absurdo eu não ter licença para ver a minha obra. Especialmente agora que estou pensando em expor o seu retrato em Paris, no outono. Talvez tenha de lhe dar outra demão de verniz, antes disso. Logo, preciso ver a tela qualquer dia. Por que não pode ser hoje?

— Expor o retrato? Você quer expor o retrato? — acudiu Dorian, aterrado.

Expor ao mundo inteiro o seu segredo? Franquear ao vulgo o mistério da sua vida? Não era possível! Cumpria fazer alguma coisa — fosse o que fosse — e quanto antes.

— Sim. Não creio que você se oponha. George Petit vai reunir os meus melhores quadros para uma exposição especial na Rue de Sèze, a inaugurar-se na primeira semana de outubro. Você ficará sem o retrato só um mês. Imagino que não lhe fará tanta falta... Tanto mais que, nessa época, nem estará em Londres. Se o esconde atrás de um biombo, é que não faz muito caso dele.

Dorian Gray passou a mão na testa banhada de suor. Tinha a impressão de estar sob a ameaça de um grave perigo.

— Mal faz um mês, você me disse que nunca exporia este quadro. Por que mudou de parecer? Vocês, os homens de caráter firme, têm caprichos como qualquer um. A única diferença é que os seus caprichos não têm sentido. Não pode ter esquecido o que me assegurou solenemente, isto é, que nada neste mundo o induziria a expor o meu retrato. E disse a Harry exatamente a mesma coisa...

Dorian interrompeu-se de repente. Ocorrera-lhe de súbito o que lorde Henry lhe dissera certa vez, entre sério e malicioso: “Se quiser passar um curioso quarto de hora, procure induzir Basil a dizer por que não quer expor o seu retrato. Ele me disse e foi para mim uma revelação”.

Sim, talvez Basil também tivesse o seu segredo. Convinha tentar. Dorian chegou-se mais, encarou o pintor.

— Basil, cada um de nós tem um segredo. Diga-me o seu e eu lhe direi o meu. Por que não queria expor o meu retrato?

Hallward não reprimiu um sobressalto.

— Se eu lhe dissesse o motivo, Dorian, você talvez me estimasse menos e zombasse de mim. Eu não suportaria nem uma nem outra coisa. Se não quer que eu torne a pôr os olhos no quadro, conformar-me-ei. Sempre terei você para olhar. Se exigir que se esconda ao mundo o que considero a minha obra-prima, faça-se a sua vontade. Prezo mais a sua amizade do que fama e renome.

— Não, Basil, você vai dizer o que é. Tenho direito de o saber.

O terror cedera lugar à curiosidade. Dorian Gray decidira desvendar o mistério de Basil Hallward.

— Sentemo-nos, Dorian... Sente-se e responda a uma pergunta: notou acaso, no quadro, algum pormenor estranho, alguma coisa que o não impressionou a princípio e que agora lhe apareceu de repente?

— Basil! — arquejou o rapaz, agarrando-se aos braços da poltrona, com as mãos trêmulas, os olhos esgazeados.

— Vejo que adivinhei. Não diga nada. Ouça primeiro o que vou dizer. Desde o instante em que o vi, Dorian, a sua personalidade exerceu em mim uma influência extraordinária. Dominou-me completamente. Você foi, desde esse momento, para mim, a encarnação do ideal invisível que habita como um sonho delicioso a imaginação de todo artista. Eu o adorei, tive ciúme da atenção que você dava a outrem, quis tê-lo só para mim e só me sentia feliz na sua companhia. Mesmo ausente, você estava presente na minha arte... Naturalmente não lhe falei disso; não me seria possível nem você me compreenderia. Eu próprio mal conseguia entender-me. Sabia apenas que estava face a face com a perfeição, que o mundo se tornara maravilhoso aos meus olhos; maravilhoso demais, talvez, porque essas idolatrias escondem perigo: o perigo de perdê-las, não menos do que o perigo de conservá-las... As semanas iam passando e eu me concentrava mais e mais em você. Aí sobreveio outra evolução. Eu talvez o retratasse em armadura como Páris, ou em vestes de caçador como Adônis, armado de lança luzidia. Ou o representaria coroado das largas flores de loto, sentado à proa da galera de Adriano a olhar o Nilo verde-turvo; ou curvado à margem de um lago silvestre da Grécia, a mirar na prata silenciosa das águas o seu rosto maravilhoso... Outras tantas visões de arte impessoal, ideal e remota. Um dia, dia fatal a meu ver, decidi retratá-lo como você era na realidade; um retrato inigualável, não com roupagens de eras fabulosas e sim no seu traje atual e no seu tempo. Seria o realismo do método, o sortilégio da sua personalidade contemplada assim, sem névoas e sem véus? Não sei. O que sei é que, trabalhando nessa tela, eu tinha a impressão de que toda pincelada revelava o meu segredo. Receei que o descobrisse. Senti, Dorian, que "dissera" demais, que pusera muito do meu "eu" nesse quadro. Foi aí que resolvi não expor o retrato. Você não gostou. Mas, então, você não poderia compreender o meu procedimento. Harry, a quem confidenciei o que lhe estou dizendo, riu-se às minhas custas. Não fiz caso. Terminado o retrato sentei-me diante dele, sozinho, e convenci-me de que tinha razão. Pois bem, dias depois que ele saiu do atelier, livre da fascinação intolerável da sua presença, tacheime de insensato. Não é que eu imaginara nessa fisionomia ter pintado alguma coisa a mais do que a beleza do original, alguma coisa além do que eu podia pintar? Apesar de tudo, ainda hoje não me posso abster de pensar que transpareça na obra criada a paixão com que a criamos. A arte é sempre mais abstrata do que se presume. A forma e a cor falam-nos de forma e de cor... nada mais. Tive muitas vezes a impressão de que a arte oculta o artista muito mais do que o revela. Em conseqüência, ao receber a proposta de Paris, decidi fazer do seu retrato a peça principal da minha exposição. Nem me ocorreu que pudesse negar-me o quadro. Percebo agora que tem razão. Essa tela não deve ser exposta. Não me queira mal pelo que lhe disse, Dorian. Como tive ensejo de dizer a Harry, você nasceu para ser adorado.

Dorian Gray soltou um suspiro prolongado. Voltou-lhe a cor às faces e um sorriso entreabriu-lhe os lábios. O perigo passara; e ele salvara-se dessa vez. Mas ao seu alívio se mesclava uma piedade infinita pelo homem que lhe fizera essa confissão. E Dorian perguntava a si mesmo se estaria destinado a sofrer também, para sempre, a influência da personalidade de um outro amigo. Lorde Henry tinha o atrativo de ser muito perigoso. Só isso, porém, porque era demasiado esperto e cínico para inspirar uma afeição sincera. E ele encontraria quem lhe votasse tão estranha idolatria? Seria uma das surpresas que a vida lhe reservava?

— O que me espanta, Dorian, é que você tenha percebido isso no retrato — prosseguiu Basil Hallward. — Viu realmente?

— Vi algo que me pareceu muito curioso.

— Diga: ainda se opõe a que eu veja o quadro agora?

— Não me peça isso, Basil. Eu não poderia deixar você olhar o retrato.

— E não me permitirá, outro dia?

— Nunca.

— Paciência. Talvez tenha razão. E agora, adeus, Dorian. Em toda a minha vida, você foi a única pessoa que influenciou a minha arte. O que fiz de bom, a você o devo. Ah! Nem imagina o que me custou dizer-lhe o que lhe disse!

—O que foi que você me disse, meu caro Basil? Simplesmente que sentiu que me admirava demais. Não foi sequer um elogio.

— Nem pretendia ser. Foi uma confissão. Agora que a fiz, parece que me livrei de alguma coisa. Talvez nunca se deva formular uma adoração em palavras.

— Uma confissão que me decepcionou muito.

— Oh! Que esperava, Dorian? Não viu algo mais no quadro? Não havia mais para ver?

— Não, nada mais. Por que pergunta? Mas deixe-se de falar de idolatria. É absurdo. Você e eu somos amigos, Basil; e amigos continuaremos a ser.

— Você tem Harry — disse o pintor com tristeza.

— Oh! Harry! — protestou o rapaz com uma risada. — Harry gasta dias dizendo coisas incríveis, noites fazendo coisas improváveis. Exatamente o modo de vida que eu gostaria de adotar. Apesar disso, não creio que recorreria a Harry, se me visse em apuros. Preferiria recorrer a você, Basil.

— Posará de novo?

— É impossível!

— Negando-se assim, Dorian, arruma a minha vida de artista. Homem algum encontra duas vezes o ideal. Raros o encontram uma vez!

— Não posso explicar por quê, Basil; mas nunca mais poderei ser seu modelo. Esse retrato tem qualquer coisa... um quê de fatal. Tem vida própria. Irei à sua casa tomar chá. Será igualmente agradável.

— Mais agradável para você, talvez — replicou o artista, sentido. — Agora, adeus. Lamento que não me deixe ver ao menos uma vez o quadro. Mas desde que não há remédio... Compreendo muito bem o que sente.

Hallward saiu.

Dorian Gray sorriu. Pobre Basil! Pouco ficara sabendo do verdadeiro motivo. Estranho! Em vez de ser forçado a revelar o seu segredo, induzira o amigo a fazer essa confissão singular que explicava tantas coisas: os acessos de ciúme do artista, a sua dedicação, os seus elogios extravagantes, as suas curiosas reticências... Dorian compreendia finalmente e compadecia-se de Basil. Parecialhe quase trágica essa amizade tingida de romantismo.

Dorian Gray suspirou. E tocou a campainha. Era preciso esconder o retrato a todo custo. Não convinha expor-se de novo ao mesmo risco. Seria insensatez rematada deixar esse quadro uma hora mais numa peça onde qualquer dos seus amigos tinha entrada franca.

CAPÍTULO X

O criado entrou. Dorian encarou-o com firmeza, perguntando a si mesmo se ele teria espreitado atrás do biombo. Victor, absolutamente impassível, aguardava ordens. Dorian acendeu um cigarro e chegou-se ao espelho onde se refletia o rosto do outro. Via-o perfeitamente. Era apenas uma plácida máscara de servilidade. Dele nada havia a temer. Em todo caso, convinha ter cautela.

Falando pausadamente, Dorian incumbiu-o de dizer à governanta que ele desejava falar-lhe. Em seguida deveria ir ao fabricante de molduras para que mandasse imediatamente dois dos seus carregadores. Victor retirou-se. Dorian Gray teve a impressão de que, ao sair, ele tinha enviesado os olhos para o quadro. Ou seria aquilo apenas uma sugestão?

Após alguns instantes, a governanta, senhora Leaf, no seu correto uniforme de seda preta, com as mãos enrugadas meio encobertas à moda antiga por mitenes de algodão, entrou solícita na biblioteca. Dorian pediu-lhe a chave da sala de estudo.

— Da antiga sala de estudo, senhor Dorian? — redargüiu ela, admirada. — Ora essa! Ela está cheia de poeira! É preciso limpar e arrumar tudo, antes que o senhor possa entrar lá. Não está em situação de ser vista pelo meu amo, não, senhor!

— Eu não quero a sala arrumada, Leaf. Quero só a chave.

— Bem, senhor; se entrar lá, cobre-se de teias de aranha. A peça não se abre há quase cinco anos; desde a morte de sua excelência.

Dorian pestanejou a essa alusão a seu avô. Guardara dele recordações detestáveis.

— Não importa, Leaf. Quero apenas ver a sala. Dê-me a chave.

— Aqui está ela, senhor — tornou a velhota, manuseando com as mãos trêmulas o seu molho de chaves. — O que não custa é achar a chave. Mas o senhor decerto não pensa em se mudar lá para cima, tendo aqui uma instalação tão confortável!

— Não, não! — atalhou o rapaz, impacientando-se.— Obrigado, Leaf. É só isso.

A governanta demorou-se, tagarelando acerca de pequenos problemas domésticos. Dorian suspirou e autorizou-a a resolver tudo como lhe parecesse melhor. Ela saiu desfeita em sorrisos.

Dorian correu o olhar pela biblioteca até encontrar uma grande colcha de cetim escarlate, ricamente bordada de ouro, esplêndida obra de lavor veneziana do século XVII, que seu pai descobrira em um convento perto de Bolonha. Sim; aquilo se prestava bem para envolver o quadro diabólico. Talvez houvesse servido muitas vezes de mortalha. A partir desse momento, esconderia uma coisa que tinha em si uma corrupção pior do que a decomposição da morte — uma coisa que geraria horrores e que jamais morreria. Os seus pecados seriam para a imagem pintada na tela o que o verme é para o cadáver; acabariam por lhe deturpar a beleza, por lhe ofuscar a graça. Mas, deturpada, repulsiva, essa imagem continuaria a viver. Viveria eternamente.

Dorian estremeceu. Por breve instante lamentou não ter dito a Basil o verdadeiro motivo por que teimava em esconder o quadro. Basil o ajudaria a resistir à influência de lorde Henry e a influências mais perniciosas que lhe vinham do seu próprio temperamento. O amor que lhe votava o artista — porque era de fato amor, nada tinha que não fosse absolutamente puro e espiritual. Não era a admiração física pela beleza, que nasce dos sentidos e morre quando os sentidos se cansam. Era o amor como o conheceram Michelangelo, Winckelmann, Montaigne, o próprio Shakespeare. Sim; Basil poderia salvá-lo; já agora, porém, era demasiado tarde. Sempre é possível anular o passado. O arrependimento, o esquecimento e a renúncia poderiam apagá-lo. Mas o futuro era inevitável. Dorian sentia dentro de si paixões que irromperiam infalivelmente, aspirações perversas que ainda viriam a se converter fatalmente em realidade

Arrebatando ao divã a colcha preciosa que o cobria, Dorian Gray passou-se com ela para trás do biombo. Ter-se ia acentuado a deturpação do seu rosto na tela? Não; não via nele nada de novo; mas detestava-o cada vez mais. A cabeleira dourada, os olhos azuis e os lábios rubros eram os mesmos. Mudara só a expressão, cuja crueldade horripilava. Comparadas ao ar severo e acusador desse rosto, que eram as censuras de Basil Hallward? Superficiais, destituídas de peso. Era a sua própria alma que o olhava da tela, que o submetia a juízo. Trespassado por uma dor pungente, Dorian atirou sobre o quadro o pano suntuoso... Nisso bateram à porta. O rapaz saiu de trás do biombo exatamente quando o criado entrava.

— Os homens estão aí, senhor.

Dorian sentiu que devia afastá-lo imediatamente. Victor não devia saber nem para onde ia o quadro. Tinha uma expressão de astúcia, uns olhos desconfiados e traiçoeiros.

Em conseqüência, o rapaz sentou-se à escrivaninha e rabiscou umas linhas endereçadas a lorde Henry, pedindo lhe que lhe mandasse alguma coisa para ler, e lembrava o encontro marcado, para essa noite, às oito e quinze.

— Espere a resposta — disse ao criado, entregando-lhe o bilhete. — Diga aos homens que entrem.

Logo depois bateram de novo à porta e o próprio senhor Hubbard, o famoso fabricante da molduras de South Audley Street, apareceu, acompanhado por um jovem ajudante. De ordinário nunca se afastava do seu estabelecimento, mas estava sempre disposto a fazer uma exceção a essa regra, quando se tratava de Dorian Gray. O rapaz enfeitiçava mesmo a todos; já a sua simples presença constituía um prazer.

— Em que lhe posso ser útil, senhor Gray? — perguntou o comerciante, esfregando as mãos sardentas e rechonchudas. — Quis dar a mim mesmo a honra de vir, em pessoa. Tenho justamente uma beleza de moldura que descobri em um leilão. Obra antiga florentina, creio que vem de Ponthill. Muito própria para um argumento religioso, senhor Gray...

— Lamento que se tenha dado ao incômodo de vir pessoalmente, senhor Hubbard. Irei sem dúvida à sua loja, para ver a moldura... se bem que não me interesse muito, agora, a arte sacra. Hoje, porém, o que eu desejo é transportar um quadro para o andar superior. Como é um tanto pesado, lembrei-me de lhe pedir que me mandasse dois dos seus homens.

— Não se preocupe. Terei muito prazer em lhe prestar eu mesmo este serviço. Qual é a obra de arte?

— Esta — replicou Dorian Gray, removendo o biombo. — Poderá removê-la coberta como está? Seria lastimável se a tela sofresse algum arranhão...

— Não haverá dificuldade, senhor — tornou o fabricante jovialmente, começando a soltar, com o auxílio do ajudante, as correntes de cobre que suspendiam o quadro. — E agora, aonde vamos com ela?

— Eu lhe mostrarei o caminho, senhor Hubbard, se quiser ter a bondade de seguir-me. Talvez seja até melhor que vá adiante. Creio que fica bem nos altos do prédio. Vamos pela escada da frente, que é mais larga.

Dorian abriu a porta do quarto. Subiram os três. A moldura entalhada tornava o quadro muito volumoso. Em conseqüência, apesar dos protestos do comerciante, Dorian também teve de ajudar no transporte.

— Um bom peso — comentou o senhor Hubbard, parando enfim no último patamar e enxugando a testa suada.

— Um tanto pesado em verdade — disse Dorian, abrindo a

porta da peça onde ia encerrar o estranho segredo da sua vida e ocultar a sua alma aos olhos de todos os homens.

Fazia quase quatro anos que não entrava na antiga sala de recreio, mais tarde sala de estudo, que lorde Kelso mandara mobiliar expressamente para o neto pouco amado, a fim de o ter quanto possível longe de si. Dorian não notou nenhuma mudança. Lá estava o grande *cassone* italiano, com os seus painéis fantásticos e o ouro embaciado da moldura; em seguida, a estante de pau-cetim, com os seus compêndios escolares de páginas marcadas. Na parede, a mesma tapeçaria flamenga esgarçada, onde um rei e uma rainha desbotados jogavam xadrez em um jardim, enquanto uma turma de falcoeiros cavalgava em tomo, erguendo nos punhos cobertos de manoplas as aves encapuzadas. Como ele se lembrava de tudo! Acudiam-lhe à memória os menores episódios da sua infância solitária, a pureza sem mácula da sua adolescência. Afigurava-se-lhe sacrilégio alojar ali o retrato fatal. Quão pouco ele desconfiara naqueles dias distantes do que a vida lhe reservava!

Não havia, porém, no solar outra peça tão a salvo de olhares indiscretos. A chave estava com ele; ninguém mais ultrapassaria essa porta. Sob a colcha escarlate, a face pintada na tela podia, à vontade, tornar-se bestial, balofa, obscena... Que importava? Não a veria vivalma. Nem ele próprio. Por que haveria de assistir à decomposição da sua alma? Conservaria a mocidade — isso era o essencial. De resto, não poderia, afinal de contas, regenerar-se? Não havia motivo para prever um futuro de abjeção. Um amor poderia cruzar-lhe a vida, purificá-lo, guardá-lo dos pecados que já lhe alvoroçavam o espírito e a carne — esses misteriosos pecados não-descritos a que o seu próprio mistério empresta um encanto sutil. Um dia, talvez, a expressão cruel desapareceria, e ele poderia mostrar ao mundo a obra-prima de Basil Hallward...

Não! Não era possível! Hora após hora, de semana a semana, a efígie na tela iria envelhecendo. Poderia escapar à deformidade do pecado mas não escaparia à da idade. As faces tornar-se-iam encovadas ou flácidas. As horríveis rugas orlariam os olhos baços, fazendo-os ficar mais desagradáveis. Os cabelos perderiam o brilho e a boca teria lábios reentrantes ou descaídos e a expressão atoleimada, ou brutal, das bocas dos velhos. E rugas no pescoço, mãos frias, sulcadas de veias salientes, corpo encurvado, como o avô que o tratara com tanta severidade na infância... Não havia remédio. Era preciso esconder o retrato.

— Ponha o quadro aí dentro, senhor Hubbard — disse Dorian, afinal. — Desculpe a demora. Eu estava pensando em outra coisa.

— Um breve descanso nunca é demais, senhor Gray — respondeu o homenzinho, esbaforido. — Onde quer a tela?

— Oh! Em qualquer parte. Aqui; aqui está bem. Não vou pendurá-la; basta encostá-la à parede. Obrigado.

— Pode-se ver a sua obra de arte, senhor?

Dorian estremeceu.

— Ela não o interessaria, senhor Hubbard — replicou, observando atentamente o seu interlocutor e pronto para derrubá-lo, se o visse estender a mão para o pano suntuoso que encobria o segredo. — Não o quero prender mais tempo. Agradeço-lhe muito a bondade de ter vindo.

— Não há de quê, não há de quê, senhor Gray. Sempre às suas ordens.

O comerciante desceu, seguido pelo ajudante, que ainda se voltou disfarçadamente a olhar Dorian, com admiração. Nunca vira feições tão belas.

Dorian fechou a porta e guardou a chave no bolso. Estava salvo. Olhar algum, exceto o seu, se pousaria jamais na sua abjeção.

Na biblioteca, verificou que eram cinco horas. O chá fora servido. Na mesinha preta de madeira aromática, marchetada de madrepérola, presente de lady Radley, a esposa do seu tutor, bela doente imaginária que passara o último inverno no Cairo, havia um bilhete de lorde Henry, junto de um livro de capa amarela um tanto amarrotado. Na bandeja do chá, bem à vista, a terceira edição de um vespertino. Evidentemente, Victor voltara. Talvez tivesse encontrado os dois homens e tentasse apurar para o que tinham vindo. E naturalmente daria pela falta do quadro. Já a poderia ter notado, enquanto arrumara as coisas para o chá. O biombo não voltara ao lugar, via-se o espaço vago na parede. Qualquer noite o criado poderia subir às escondidas, experimentar a porta, forçá-la... Dorian ouvira contar histórias de extorsões tentadas por criados de homens ricos, depois de lerem uma carta, ou escutarem à porta uma conversação comprometedora, ou por se terem apossado de algum envelope com certo endereço, de uma flor murcha ou um lenço de renda esquecidos debaixo de uma almofada...

O rapaz suspirou, verteu o chá na xícara e abriu o bilhete. Henry dizia simplesmente que lhe mandava o jornal junto com um livro interessante e que estaria no clube às oito e quinze. Dorian folheou distraidamente o vespertino. Um traço de lápis encarnado, na quinta página, atraiu-lhe a atenção. Dizia a nota:

"INQUÉRITO SOBRE UMA ATRIZ — Realizou-se esta manhã, na Hoxton Road, um inquérito presidido pelo coronel do distrito, sobre a morte de Sibyl Vane, jovem atriz que havia sido recentemente contratada pelo Royal

Theatre. O veredicto foi morte acidental. Depuseram a mãe da falecida, que foi alvo de muitas manifestações de simpatia, e o doutor Birrel, médico incumbido da autópsia do cadáver".

Com ar sumamente contrariado, Dorian Gray rasgou o jornal e deitou fora os pedaços. Que horror! Como era feia a realidade! Lorde Henry não poderia ter-se abstido de lhe mandar essa nota? Pior ainda: por que a sublinhara a lápis encarnado? Victor a teria lido, com certeza. Sabia mais do que era necessário para ler uma notícia de jornal. E, se a tinha lido, poderia desconfiar. Mas de quê, afinal? Acaso Dorian Gray tinha alguma coisa com a morte de Sibyl Vane? Nada. E nada havia a recear. Dorian Gray não tinha matado Sibyl Vane.

Os olhos do moço caíram casualmente no livro que lhe enviara lorde Henry. Que seria aquilo? Chegou-se à mesinha de reflexos perolados — que sempre lhe parecera obra de estranhas abelhas egípcias, peritas em cinzelar prata —, apanhou o volume, recostou-se numa cadeira e começou a folheá-lo. Ao fim de cinco minutos a leitura absorvia-o completamente, convencia-o de que nunca tivera nas mãos obra tão singular. Era como se os pecados do mundo desfilassem diante dele, em magníficas roupagens, numa pantomima acompanhada de sons suaves de flauta. Coisas que ele sonhara vagamente assumiam sob os seus olhos aspecto de realidade. Coisas que ele nunca sonhara se lhe revelavam gradualmente.

Era uma novela sem enredo, com uma única personagem — um estudo psicológico de certo jovem parisiense que passava a vida tentando ressuscitar, em pleno século XIX, as paixões e modos de pensar dos séculos anteriores ao seu, em resumir em si as várias mentalidades que caracterizaram o espírito humano, no curso dos tempos, prezando pela sua própria artificialidade as renúncias a que os homens chamaram impropriamente virtudes, tanto quanto as revoltas instintivas que os sábios ainda denominam pecado. O estilo do livro era esse curioso estilo cinzelado, cintilante e obscuro, eivado de gíria e de expressões arcaicas, de expressões técnicas e de paráfrases complicadas, que distingue a obra de certos simbolistas franceses. Havia, nessas páginas, metáforas semelhantes a orquídeas monstruosas, de colorido sutil. A vida sensual estava descrita em termos de filosofia mística. Em certas passagens era difícil discernir se elas expressavam os êxtases espirituais de algum santo medieval ou as confissões doentias de um pecador moderno. Era em suma um livro venenoso, de páginas impregnadas de um cheiro forte de incenso que perturbava o cérebro. A simples cadência das frases, a monotonia da sua música ia mergulhando na mente do leitor, à medida que ele passava de um a outro capítulo, em uma espécie de devaneio em meio a um sonho malsão. Dorian não percebia que a sombra do anoitecer já começava a invadir a sala.

Um céu cor de cobre, sem nuvens, com uma única estrela, cintilou além das janelas abertas. Dorian continuou a ler, enquanto esse vislumbre de luz o permitiu. Afinal, depois que o criado lembrou várias vezes que era tarde, levantou-se, entrou no quarto, pousou o volume na mesinha florentina à cabeceira da cama e vestiu-se para o jantar.

Pouco faltava para as nove quando Dorian chegou ao clube. Encontrou lorde Henry sozinho e com cara de quem se aborrecia sumamente.

— Perdoe, Harry. Mas a culpa é sua. O livro que me mandou fascinou-me; e eu esqueci o tempo que ia correndo.

— Sim, eu calculei que você gostaria — replicou lorde Wotton, levantando-se.

— Eu não disse que gostei do livro, Harry. Disse que ele me fascinou. É muito diferente.

— Ah! Já descobriu isso? — tornou lorde Henry. Passaram os dois à sala de jantar.

CAPÍTULO XI

Durante anos, Dorian Gray não conseguiu emancipar-se da influência desse livro. Seria mais exato dizer que nunca se livrou dela. Mandou vir de Paris não menos de nove exemplares da primeira edição em diferentes encadernações, que folheava de conformidade com os diferentes estados de humor da sua índole, cujos caprichos, já então, parecia incapaz de reprimir. O jovem protagonista, o extraordinário parisiense em quem os temperamentos romântico e científico se fundiam tão singularmente, acabou por lhe parecer a prefiguração da sua própria personalidade. Em conseqüência, o livro era para ele por assim dizer a história da sua vida, escrita antes que ele a houvesse vivido.

Em um ponto, Dorian Gray era mais afortunado que o fantástico herói da novela: nunca sofrera do medo — não tinha, aliás, razão para isso — um tanto grotesco dessa personagem literária, o medo de ver a sua imagem refletida num espelho, numa superfície de metal polido, na própria água parada porque a sua beleza, outrora notável, se alterara prematuramente. Era com um prazer cruel — há sempre um laivo de crueldade em todo prazer, talvez em toda alegria — que Dorian relia a última parte do livro, a narração realmente trágica, se bem que um tanto exagerada, da tristeza, do desespero do homem que perdeu o que, nos outros e no mundo inteiro, prezava acima de tudo.

Efetivamente, a prodigiosa beleza que enfeitiçara Basil Hallward e muitos outros não acusava em Dorian nenhuma alteração. As próprias pessoas que ouviam a respeito dele as piores coisas — de tempos em tempos estranhos boatos se alastravam em Londres e se tornavam o assunto do dia nos clubes — não podiam dar crédito a tais versões desabonadoras, quando punham os olhos nele. Dorian conservara o seu ar de adolescente puro, não maculado pelas torpezas do mundo. A sua presença fazia calar as conversações obscenas. Havia algo na pureza de seu rosto que parecia censurá-las. Só de vê-lo os homens sentiam como que uma saudade melancólica da inocência há muito maculada por eles. Causava admiração que ele houvesse podido escapar à corrupção de um século que era ao mesmo tempo sórdido e sensual.

Não raro, voltando de uma das ausências prolongadas e misteriosas, que originavam as mais disparatadas conjeturas entre os que eram ou se consideravam seus amigos, Dorian Gray esgueirava-se escada acima, abria a porta cuja chave nunca o abandonava e sentava-se, com um espelho na mão, diante do retrato pintado por Basil Hallward. O seu olhar corria então da fisionomia envelhecida e depravada da tela ao rosto jovem e atraente que lhe sorria no espelho. A própria violência do contraste servia-lhe para estimular o seu sentimento de prazer. Estava cada vez mais enamorado da sua própria beleza, mais e mais empenhado em corromper a sua própria alma. Examinava minuciosamente, às vezes com deleite monstruoso e terrível, as linhas hediondas que desfiguravam a testa, que emurcheciam a boca sensual e dura, perguntando a si mesmo quais seriam mais horrendos, se os sinais do vício ou os da idade. Pousava as alvas mãos ao lado das mãos ásperas e manchadas do retrato e sorria. Zombava do corpo deformado, das pernas enfraquecidas.

Durante a noite, porém, havia momentos em que, acordado no seu aposento impregnado de suave perfume, ou no sórdido quarto de uma taberna de má fama das docas, que tinha o hábito de freqüentar disfarçado e com nome falso, Dorian punha-se a pensar no que fizera da sua alma, com uma piedade tanto mais pungente, porquanto era egoísta. Mas esses momentos eram raros. A curiosidade de conhecer a vida que lorde Henry despertara nele em um dia distante, no jardim do amigo comum, parecia aumentar, à medida que se ia saciando. Quanto mais sabia, mais Dorian desejava saber. Tinha apetites furiosos que, embora satisfeitos, se exacerbavam mais e mais.

Contudo, o neto de lorde Kelso não se descuidava totalmente da sua vida social. Durante o inverno, enquanto durava a temporada, uma ou duas vezes por mês, Dorian Gray franqueava às quartas-feiras a sua bela mansão à sociedade. Nessas recepções, os musicistas de maior fama vinham deleitar os convidados com as maravilhas da sua arte. Os seus jantares íntimos, em cuja organização lorde Henry sempre o ajudava, gozavam de merecido renome pela seleção dos convivas, pelo gosto requintado que se revelava no arranjo da mesa, na disposição das flores, no luxo das toalhas, na riqueza da antiga baixela de ouro e prata. Realmente eram numerosos — especialmente entre os jovens — os que viam em Dorian Gray a realização do tipo com que tinham sonhado no seu tempo de Eton ou de Oxford — um tipo em que se combinassem a cultura sólida do estudioso e a graça, a distinção e a elegância perfeita do homem de sociedade. Viam em Dorian um dos mortais de que nos fala Dante, empenhados "em se tornarem perfeitos, cultuando o belo". À semelhança de Gautier, Dorian Gray era daqueles para quem "o mundo visível existe".

Em verdade, para ele a vida era a primeira e a maior das artes, a arte para a qual todas as outras serviam de preparação. A moda, que por breve espaço dá a uma fantasia uso universal, o dandismo, que é a seu modo uma tentativa de afirmar o modernismo absoluto da beleza, exerciam sobre Dorian uma fascinação bem compreensível. O seu modo de vestir e as maneiras peculiares que afetava de quando em quando influenciavam acentuadamente a mocidade dos bailes de Mayfair e dos clubes de Pall Mall, que o seguia em tudo e tentava imitar o encanto inimitável dos seus requintes de elegância, aos quais ele não prestava senão uma atenção muito relativa.

Com efeito, se aceitara com excessiva presteza a posição que se lhe oferecera quase logo após a sua maioridade, se experimentava um prazer sutil em pensar que ainda poderia ser, para a Londres dos seus dias, o que fora, para a Roma de Nero, o autor do *Satiricon,* no âmago do seu "eu" Dorian Gray aspirava a ser mais do que mero árbitro da elegância, ser consultado sobre a oportunidade de usar uma jóia, sobre o nó da gravata, ou o modo de levar a bengala. Ambicionava elaborar novos esquemas de vida baseados numa filosofia racional, em princípios lógicos que elegessem como finalidade suprema a espiritualização dos sentidos.

O culto dos sentidos foi verberado muitas vezes com absoluta justiça. Um instinto natural adverte os homens contra as paixões e as sensações que se lhes afiguram mais fortes do que a sua vontade e que eles têm consciência de partilhar com as formas organizadas de existência de nível inferior ao seu. Mas Dorian Gray era de parecer que a verdadeira natureza dos sentidos nunca foi compreendida, que eles permaneciam instintivos e animais porque a sociedade timbrara em domá-los pelas privações ou extingui-los pela dor, ao invés de visar a convertê-los em elementos de uma nova espiritualidade que tivesse como característico dominante a aspiração ao belo. Um olhar retrospectivo à evolução do homem através da história causava-lhe uma impressão de dano irreparável. Quantos sacrifícios vãos! Renúncias voluntárias, formas monstruosas de penitência e de auto-imolação originadas pelo terror e cujo resultado era a degradação infinitamente maior e mais terrível do que a abjeção imaginária a que pretendiam furtar-se pobres criaturas ignorantes. A natureza, na sua estupenda ironia, levava os monges a conviver com as feras do deserto, dava aos eremitas, por companheiros, os animais campestres.

Sim, assistir-se-ia, como profetizara lorde Henry, ao advento de um novo hedonismo que daria novo aspecto à vida e a salvaria do puritanismo ríspido e canhestro, do qual se estava observando, justamente então, uma curiosa revivescência. Naturalmente a nova doutrina aceitaria os serviços da inteligência; mas repeliria toda teoria, todo sistema que implicasse a renúncia à experiência passional. A sua finalidade seria, aliás, a própria experiência e não os frutos da experiência, doces ou amargos que fossem. Não admitiria nem o ascetismo que extingue os sentidos, nem a licenciosidade vulgar que os embota. Ensinaria, porém, o homem a concentrar-se nos momentos de uma vida que já de per si é um momento.

A qual de nós não sucedeu despertar de madrugada, ou depois de uma dessas noites sem sono que nos fazem quase desejar a morte, ou de uma noite de horror e de delírios monstruosos em que nos deslizam pelos cantos do cérebro espectros mais terríveis do que a própria realidade, animados dessa vitalidade que se esconde nas coisas grotescas e empresta à arte gótica a sua vida imperecível, pois essa arte é, por assim dizer, a arte peculiar dos espíritos perturbados pela doença da imaginação? Dedos pálidos vão lentamente deslizando entre as cortinas farfalhantes. Formas mudas, sombrias e fantásticas, esgueiram-se e encolhem-se nos cantos escuros da peça. Fora, é o burburinho da passarada na folhagem, ou o rumor dos passos dos que vão para o trabalho, ou os suspiros e o soluçar do vento que vem dos montes e ronda a casa silenciosa, como se temesse despertar os que dormem e devesse ao mesmo tempo arrancar o sono da sua gruta purpúrea. Desvanecem-se um após outro os véus de gaze da penumbra. Voltam gradualmente a forma e a cor às coisas e vemos a aurora devolver ao mundo o aspecto habitual. Os espelhos baços recobram sua vida imitadora. Os castiçais apagados estão onde os deixamos e, além deles, está o livro quase intacto que principiamos a ler, ou a flor montada em arame que usamos no baile, ou a carta que não nos animamos a ler ou que relemos demais. Nada mudou aparentemente. Emerge da sombra irreal da noite a vida real como a conhecemos, que retomamos do ponto onde a interrompemos. Domina-nos então a sensação penosa da necessidade e constância da energia, no mesmo giro monótono de hábitos estereotipados. Ou é um desejo desesperado de abrir um dia os olhos para um mundo renovado durante a noite para nosso júbilo, um mundo de novas formas e cores, diferente, ou com outros segredos, um mundo em que o passado ocupasse pouco ou nenhum lugar, ou pelo menos sobrevivesse isento de deveres ou de saudades, já que a recordação da própria alegria tem as suas tristezas, e a lembrança do prazer pode eivar-se de dor.

Era a criação de mundos desse

feitio que se afigurava a Dorian Gray como o objetivo supremo ou pelo menos uma das supremas finalidades da existência. E na sua caça às sensações ao mesmo tempo novas e requintadas, que possuíssem o elemento de singularidade tão necessário ao romance, Dorian adotava com freqüência modos de pensar verdadeiramente alheios — ele bem o sabia — à sua natureza; entregava-se a essa influência insidiosa; e, depois de lhes captar, por assim dizer, o colorido e satisfazer a sua curiosidade intelectual, descartava-se deles com a estranha indiferença que, sobre ser compatível com um temperamento fogoso, no dizer de certos psicólogos modernos, é até condição de semelhante natureza.

Correra uma vez, em relação a Dorian Gray, a versão de que ele pretendia converter-se ao catolicismo. Não havia dúvida de que o ritual romano sempre o atraíra. O sacrifício cotidiano, mais empolgante em verdade do que todos os sacrifícios da Antigüidade, alvoroçava-o, quer pela soberba rejeição da evidência dos sentidos, quer pela singeleza primitiva dos seus elementos, pelo patético eterno da tragédia humana que visa a simbolizar. Dorian gostava de ajoelhar-se no frio pavimento de mármore, de observar o sacerdote paramentado, os seus movimentos vagarosos, as suas mãos brancas adejando em tomo do tabernáculo, ou erguendo bem alto o ostensório com a pálida hóstia, o *panis coelestis,* o pão dos anjos; ou quando nas vestes sacerdotais da Paixão de Cristo o celebrante partia a hóstia no cálice e batia no peito, acusando-se dos seus pecados. Os incensários fumegantes, que os pequenos acólitos, muito sérios nas suas rendas sobre vestimentas escarlates, balançavam no ar como grandes flores douradas, exerciam sobre Dorian uma fascinação sutil. De passagem, ele costumava deitar olhares admirativos aos confessionários negros, quando não se sentava muito tempo ao lado de um deles, na penumbra, e ficava a ouvir homens e mulheres murmurarem, através da grade já usada, a verdadeira história da sua vida.

Apesar disso, jamais cometeu o erro de interromper a sua evolução intelectual, com a aceitação formal de um credo ou de um sistema, ou de trocar a casa, a habitação estável, por uma estalagem apropriada só por uma noite ou por algumas horas de uma noite sem estrelas e sem luar. O misticismo, com o seu poder singular de nos alhear das coisas de cada dia e as antinomias sutis, que em geral o acompanham, atraíram-no pelo espaço de uma temporada; e, durante uma estação, Dorian inclinou-se para as teorias materialistas do movimento do darwinismo germânico, experimentando um prazer singular em atribuir as paixões humanas a esta ou àquela célula cerebral, ou a um nervo do corpo; deleitava-se em admitir a dependência absoluta do espírito a certas condições físicas, sãs ou doentias, normais ou mórbidas. Contudo, já o dissemos, nenhuma teoria da vida se lhe afigurava importante, comparada à própria vida. Dorian percebia perspicazmente a esterilidade da especulação intelectual, quando não a acompanham a ação e a experiência. Sabia que os sentidos, tanto quanto a alma, têm mistérios a revelar.

Passara então a ocupar-se com os perfumes e os segredos do seu fabrico, destilando óleos aromáticos, queimando resinas do Oriente. Convencido de que não há estado de espírito ao qual não corresponda uma condição de vida sensorial, dedicou-se a procurar essa relação, indagando por que o aroma do incenso nos predispõe ao misticismo, o do âmbar nos estimula as paixões, o das violetas nos traz à memória romances já mortos; que elemento do almíscar perturba o cérebro e a que se deve o efeito causado pela champaca na imaginação; procurava muitas vezes elaborar uma verdadeira psicologia dos aromas, averiguar as várias influências das raízes cheirosas, das flores de pólen perfumado, dos bálsamos aromáticos, das madeiras odoríferas, do nardo, que amolece, da hovênia, que provoca delírios, do aloés, que, segundo se diz, afugenta da alma a melancolia.

Em outro período, Dorian Gray consagrou-se inteiramente à música. Num longo salão gradeado, de teto carmim e ouro e paredes de laca verde-oliva, realizava concertos extravagantes: ciganos furiosos tocando músicas doidas em cítaras minúsculas; árabes de Túnis envoltos em mantas amarelas dedilhando gravemente as cordas de alaúdes enormes; negros de risos alvares, percutindo monotonamente os seus tambores de cobre; ou hindus magros, de turbante, acocorados em esteiras encarnadas, soprando em flautas esguias de cana ou de latão, encantando, ou fingindo encantar, grandes serpentes encapuzadas, ou horríveis víboras chifrudas. Os intervalos rudes, as dissonâncias gritantes dessa música bárbara excitavam Dorian, enquanto que a elegância de Schubert, a melancolia de Chopin e a própria grandiosidade de Beethoven o deixavam indiferente. Ele colecionava os instrumentos mais extravagantes de toda parte do globo, proviessem eles dos túmulos de nações extintas ou das raras tribos selvagens que sobreviveram ao contato da civilização ocidental, e gostava de tocá-los e experimentá-los. Possuía os misteriosos juruparis dos índios do rio Negro, cuja vista é vedada às mulheres e até aos adolescentes ainda não submetidos à prova do açoite e do jejum; obtivera jarros de barro peruanos que emitem um grito estridente de ave; as flautas de ossos humanos, que Afonso de Ovalle ouviu no Chile; os jaspes sonoros de Cuzco, que produzem sons singularmente suaves; porongos pintados, recheados de seixos e que, sacudidos, apresentam um ruído crepitante; os compridos clarins mexicanos que não se tocam soprando e sim aspirando por eles o ar exterior; o toré grosseiro das tribos da Amazônia, tocado pelas sentinelas ocultas o dia inteiro em árvores grandiosas e cujos sons, segundo se afirma, são audíveis a uma distância de três léguas. Não faltava à coleção o *teponaztli,* feito de duas línguas de lenho sonoro e percutido com varetas revestidas da goma elástica obtida do sumo leitoso de plantas; nem o *yotl* dos aztecas, de guizos suspensos em cachos como as uvas; tampouco o grande tambor cilíndrico coberto com a pele de grandes serpentes; análogo ao que Bernal Díaz avistou, entrando com Cortés em um templo mexicano, e de cujo som dolente nos deixou uma descrição tão vívida.

O caráter fantástico desses instrumentos fascinava o jovem colecionador e ele sentia um curioso prazer em averiguar que a arte, como a natureza, tem os seus monstros, objetos de forma bestial e vozes horrendas.

Ao termo de pouco tempo, cansado dessas excentricidades musicais, Dorian voltava à sua frisa na ópera, sozinho ou com lorde Henry, e ouvia em êxtase *Tannhäuser*. No prelúdio dessa grande obra de arte via uma interpretação da tragédia da sua alma.

Depois foi a vez das pedras preciosas. Dorian apareceu em um baile fantasiado de Anne de Joyeuse, almirante de França, com um traje em que cintilavam quinhentas e sessenta pérolas. O gosto pela pedraria animou-o muitos anos; ou melhor, nunca esmoreceu nele. Fazia-o passar dias inteiros arrumando nos estojos as pedras raras da sua coleção, entre as quais preferia o ouro avermelhado da pedra-do-sol e a alvura perolada das pedras-da-lua, bem como o arco-íris interrompido da opala leitosa. Mandara vir de Amsterdam três esmeraldas de tamanho e colorido excepcionais e conservava zelosamente uma turquesa de *la vieille roche* que lhe valia a inveja de todos os conhecedores.

Dorian Gray descobrira igualmente histórias fantásticas sobre pedras preciosas. Certa obra mencionava uma serpente de olhos de jacinto autêntico; outra lenda atribuía a Alexandre a sorte rara de haver descoberto, no vale do Jordão, serpentes de cujo dorso brotavam enfiadas de esmeraldas verdadeiras. Filostrato conta que havia uma pedra preciosa no cérebro do dragão que à simples vista de letras de ouro e de uma roupagem de púrpura induzia a um sono mágico, durante o qual era possível matá-lo facilmente. Segundo o grande alquimista Pierre de Boniface, o diamante pode tornar invisível o homem e a ágata da Índia torna-o eloqüente. A cornalina aplaca a cólera, o jacinto provoca o sono e a ametista dissipa os vapores do vinho. A granada afugenta o demônio e o hidrópico descora o luar. O brilho da selenita cresce e decresce com a lua. E, além dessas informações ou superstições, Dorian Gray colhia nas leituras inúmeros episódios sobre as magníficas jóias que figuravam outrora nos tesouros de reis e príncipes cujos nomes a história trouxe até nós.

De que requintes se ornava então a vida! Que luxo na sua pompa e decoração! Que suntuosidade acompanhava a própria morte!

E Dorian Gray passou-se para os bordados, para as tapeçarias que nas frias habitações da Europa setentrional fazem as vezes de afrescos. Pelo espaço de um ano, ele acumulou os mais finos espécimes de tecidos e bordados, colhidos em terras exóticas: musselinas da Índia, gazes de Daca, panos de Java, cortinas chinesas, encadernações de cetim lavrado, véus de renda da Hungria, brocados da Sicília, veludos espanhóis, bordados da Geórgia rematados por sequins de ouro, *fukusas* japonesas, ricos de arabescos de ouro esverdeado, de aves de maravilhosa plumagem.

Também lhe inspiraram uma paixão especial os paramentos eclesiásticos, como tudo o que se ligava aos ritos da Igreja: vestimentas, jóias, vasos sacros, painéis religiosos, medalhões de santos e mártires, casulas, dalmáticas, frontais de altar, véus, sudários abarrotavam as longas arcas de cedro que orlavam a galeria oeste da mansão.

Todos esses tesouros, tudo o que ele reunira no seu esplêndido solar, não passavam de meios de esquecer, de maneiras de se evadir temporariamente ao terror que, às vezes, se lhe tornava intolerável. Ele próprio pendurara com as suas mãos, em uma parede do quarto solitário, onde passara grande parte dos seus primeiros anos, o retrato terrível, em cujas feições mutáveis lia a degradação da sua vida. Sobre o quadro pusera, à maneira de cortina, a colcha de púrpura e ouro. Passava semanas sem subir à sala de recreio da sua infância. Nesses períodos empenhava-se em esquecer, em recobrar a alegria despreocupada da mocidade, o seu interesse apaixonado pela existência. Depois, de repente, esgueirava-se de casa, metia-se em antros horríveis de Blue Gate Fields e lá ficava dias a fio; até que o enxotassem. Regressando ao palácio, sentava-se defronte do retrato, ora o amaldiçoando e abominando-se, ora transbordando do orgulho individual, que é a metade do atrativo do pecado, sorrindo satisfeito à sombra lamentável, condenada a carregar o fardo que deveria pesar nos ombros dele.

Ao fim de alguns anos, toda permanência prolongada fora da Inglaterra tornou-se-lhe insuportável. Em conseqüência, Dorian

Gray abandonou a *villa* que partilhava com lorde Henry em Trouville, bem como a pequena vivenda branca, cercada de muros, em Argel, onde tinham passado juntos vários invernos. Não podia estar longe do retrato que ocupava importante lugar na sua vida. Temia que na sua ausência alguém penetrasse no quarto vedado, a despeito das trancas complicadas com que guarnecera a porta.

Tinha absoluta consciência de que o indiscreto nada compreenderia. A falar a verdade, sob a hediondez da sua nova aparência o rosto pintado ainda se assemelhava ao seu. Mas que deduziria daí um estranho? Ainda que tentassem explicar-lhe o sentido daquela deturpação, não acreditaria.

Apesar de tudo, Dorian Gray não vivia sossegado. Não raro, quando no seu vasto solar de Nottinghamshire hospedava principescamente os jovens elegantes, seus amigos íntimos, deslumbrando o condado com o seu luxo, deixava de improviso os hóspedes e corria à cidade para certificar-se de que a porta não fora forçada, de que o quadro continuava no mesmo lugar. E se o furtassem? Só de pensar nisso Dorian gelava de horror. Naturalmente, o mundo descobriria então o seu segredo, se já não suspeitava dele.

Com efeito, embora Dorian Gray continuasse a exercer a sua fascinação sobre numerosas pessoas, a outras tantas inspirava desconfiança. Recentemente ainda, fora rejeitado no clube do West End a que o nome e a posição social lhe davam pleno direito de pertencer. Dizia-se também que, certa vez em que um amigo o levara ao *fumoir* de Churchill, o duque de Berwick e outro nobre associado haviam-se retirado ostensivamente.

Dorian Gray completara vinte e cinco anos, quando começaram a circular, a seu respeito, histórias estranhas, boatos de andar ele metido em disputas com marujos estrangeiros em local suspeito nos confins de Whitechapel; de se ter mancomunado com ladrões e moedeiros falsos com quem aprendera a técnica do ofício. As suas ausências inexplicáveis tornaram-se notórias, e quando ele reaparecia em sociedade eram cochichos abafados nos cantos dos salões, ou risadinhas irônicas dos que passavam por ele, ou olhares penetrantes que pareciam decididos a descobrir os mistérios do belo dândi.

Naturalmente que ele não dava importância a essas coisas. E, para muitos, os seus modos francos, o seu sorriso encantador de adolescente, a graça infinita dessa sua juventude intacta, eram por si sós resposta suficiente às calúnias, que essas almas benévolas assim qualificavam as versões espalhadas contra ele. Notava-se, entretanto, que ultimamente alguns dos amigos mais íntimos de Dorian Gray o evitavam. As mulheres, que o tinham adorado, e pelo amor dele afrontavam a censura social e as convenções, empalideciam de horror se Dorian Gray lhes entrava na sala.

Apesar disso, aos olhos de muita gente, esses murmúrios escandalosos aumentavam o seu singular e perigoso encanto. A sua grande riqueza era, de certo modo, elemento de garantia. A sociedade — pelo menos a sociedade civilizada — nunca se dispõe a acreditar seja o que for, em prejuízo dos indivíduos belos e ricos. Sente instintivamente que as maneiras têm mais importância que a moral; e, na sua opinião, a máxima respeitabilidade vale muito menos do que a posse de um bom cozinheiro. Diante disso é mesquinho consolo dizer daquele que oferece um mau jantar que é um cidadão de vida privada irrepreensível. As próprias virtudes cardeais não desculpam a gafe de servir entradas semifrias, como observara certa vez lorde Henry, numa discussão sobre esse argumento; e talvez haja muito a dizer acerca do seu ponto de vista. Com efeito, os cânones da boa sociedade são, ou deveriam ser, idênticos aos cânones da arte. A forma é-lhes absolutamente essencial; seria mister que se combinassem neles a dignidade de uma cerimônia, a irrealidade da arte e a insinceridade de uma peça romântica, dotada de toda a fantasia e beleza que fazem, desse gênero de peça, obras deliciosas. Afinal, será a insinceridade uma coisa tão terrível? Não me parece. É apenas um método pelo qual podemos multiplicar a nossa personalidade.

Tal era, em todo caso, a opinião de Dorian Gray. Causava-lhe estranheza a psicologia superficial dos que concebem o ego, no homem, como coisa simples, permanente, estável, de uma só essência. A seu ver, o homem é um ser de múltiplas vidas e sensações, uma criatura complexa e poliforme, que carrega dentro de si uma herança atávica de idéias e de paixões, com a carne corrompida pelas monstruosas doenças da morte. Dorian Gray comprazia-se em passear na galeria de quadros da sua casa de campo e estudar os retratos dos antepassados cujo sangue lhe corria nas veias. Ali estava, por exemplo, Philip Herbert, mencionado por Francis Osborne, nas *Memórias dos reinados da rainha Elisabeth e do rei James,* como “favorito da corte pela sua primorosa beleza”. Seria a vida de Philip Herbert que o seu descendente vivia em certos períodos? Ter-lhe-ia vindo do subconsciente, da obscura recordação dessa beleza precocemente fanada, o impulso que o levara a formular, no atelier de Basil, o desejo insensato que lhe transformara a vida? Adiante, de justilho escarlate bordado de ouro e pedraria, com gola e punhos de renda, sobressaía a efígie de Sir Anthony Sherard, ereto, com o seu brasão aos pés. Que herança lhe legara esse homem? Teria o amante de Joana de Nápoles lhe deixado algum legado de crime e de vergonha? Estaria ele concretizando o que esse ascendente remoto não ousara realizar? De outra tela desbotada sorria lady Elisabeth Devereux, cuja história amorosa Dorian conhecia bem. Vinha-lhe parte do seu temperamento dessa dama de touca de gaze e corpete de pérolas, que se fizera retratar com uma rosa na mão, ao pé de uma mesa em que apareciam um bandolim e uma maçã, e desse retrato o olhava singularmente com os seus olhos amendoados? E esse George Willooghby, de cabeleira empoada, e fantásticos sinais no rosto? Que cara de mau! E todos os outros, até sua mãe, a sua linda mãe, de lábios sempre frescos, como que úmidos de vinho? — dela, sabia ele o que herdara! Dela lhe viera a beleza e a paixão do belo. Margaret Devereux sorria-lhe do quadro que a mostrava em roupagem solta de bacante, com parras entrelaçadas nos cabelos e uma taça cheia na mão. A carnação desbotara na tela; os olhos, porém, conservavam o olhar luminoso e cintilante e pareciam seguir o olho aonde quer que ele fosse.

Além dos antepassados diretos, possuímos todos nós ascendentes literários — muitos deles mais chegados e mais afins ao nosso tipo e ao nosso temperamento e exercendo, sem dúvida, em nós, uma influência de que temos a consciência mais absoluta. Não raro, Dorian Gray tinha a impressão de não ser a história senão o registro da sua própria vida, não como ele a vivia na ação e nas circunstâncias, mas como a sua imaginação havia criado, como, para ele, tinha sido ela no seu cérebro e nas suas paixões. Tinha a impressão de haver conhecido pessoalmente as personagens estranhas e terríveis que passaram pela cena do mundo, tornando o pecado tão extraordinário, pondo no mal tanta sutileza. Uma sugestão misteriosa fazia-o ver nessas vidas a sua própria vida.

O herói da curiosa novela que tanto lhe influenciara a existência também experimentara essa estranha sensação. No sétimo capítulo, descreve-se encarnando Tibério coroado de louros, a fim de que o raio o não pudesse ferir, e sentado em um jardim de Capri a ler os livros abomináveis de Elefantis, com pavões e anões em torno e o flautista zombando do turiferário e do seu incenso. Em outras ocasiões, era Calígula, Domiciano, Nero, Heliogábalo, que se maquilava e fiava com as mulheres, e que mandara vir de Cartago a Lua para dar em casamento místico ao Sol. Dorian relia incessantemente esse capítulo e os dois seguintes, cujas gravuras, imitando tapeçarias e esmaltes, reproduziam a formosura terrível dos que o vício, o sangue e o tédio converteram em monstros ou dementes: Filipe, o duque de Milão que matou a mulher e lhe ungiu os lábios com veneno para que o amante sugasse a morte da boca da amada; Paulo II, o veneziano Pietro Barbo, que na sua vaidade se cognominou o Formoso, e cuja tiara, avaliada em duzentos mil florins, foi adquirida a troco de um pecado hediondo; Gian Maria Visconti, que usava a sua matilha para caçar seres humanos e que, assassinado, foi amortalhado em rosas brancas por uma rameira que lhe tinha amor; os Bórgias, com o seu séquito de delitos; Pietro Riario; o jovem cardeal-arcebispo de Florença, filho e favorito de Sixto IV, cuja beleza só era igualada pela sua libertinagem; recebeu Leonor de Aragão, em um pavilhão tapizado de seda branca e carmesim, cheio de ninfas e centauros; e dourou o corpo de um menino para que representasse melhor Ganimedes ou Hilas; Ezzelino, cuja melancolia só cedia ao espetáculo da morte; que tinha paixão pelo sangue vivo, como outros a têm por vinho tinto; que, sendo, conforme se dizia, filho do Demônio, trapaceara, ao jogar com esse pai uma partida em que a parada era a sua alma; Giambattista Cibo, que se intitulara por ironia o Inocente, e em cujas veias tórpidas um médico judeu transfundiu o sangue de três rapazes; Sigismondo Malatesta, cuja efígie foi queimada em Roma como a de inimigo de Deus e dos homens, que estrangulou Polixena com um guardanapo, administrou um tóxico a Ginevra d'Este, em uma taça de esmeralda e em honra de uma sua paixão infame erigiu um templo pagão para o culto católico; Carlos VI, tomado de paixão pecaminosa pela esposa do irmão, a ponto de lhe predizer um leproso que a insânia não tardaria a ofuscar-lhe a razão; e quando isso ocorreu o seu cérebro enfermo só se acalmava à vista das cartas sarracenas em que vinham figurados o Amor, a Morte e a Loucura; Griffonetto Baglioni, matador de Astorre e da sua noiva; Simonetto, com o seu pajem tão lindo que, vendo-o morto na praça amarela de Perúgia, os seus próprios assassinos não continham as lágrimas, e Atalanta, que o amaldiçoara, o abençoou.

Todos eles exerciam sobre Dorian Gray uma fascinação terrível; perturbavam-lhe o sono durante a noite e a imaginação de dia. A Renascença conhecia estranhos métodos de envenenamento: por meio de um capacete, de uma tocha acesa, de uma luva bordada, de um leque cravejado de pedraria, de uma bola de cheiro dourada, de um colar de âmbar. Dorian Gray fora envenenado por um livro. Em certos momentos, o pecado não era aos seus olhos senão um simples meio de realizar seu conceito do belo.

CAPÍTULO XII

Era uma noite de novembro, véspera do seu trigésimo oitavo aniversário. Mais tarde, Dorian Gray recordaria freqüentemente esta coincidência.

Voltava ele, pelas onze horas, da casa de lorde Henry, com quem estivera jantando. Vinha embuçado na peliça, porque a noite estava fria e nevoenta. Na esquina de Grosvenor Square com South Audley Street, passou por um homem de gola levantada, levando na mão um alforje. Era Basil Hallward. Mas Dorian, tolhido por um vago receio, não deu mostras de o reconhecer. O pintor, porém, vira-o. Dorian ouviu-o parar e depois correr-lhe no encalço. Em poucos instantes alcançou-o, agarrou-lhe a manga.

— Dorian! Que sorte inesperada! Acabo de sair da sua biblioteca, onde o estive esperando, desde as nove. Afinal, penalizado do sono do seu criado, mandei que se deitasse e saí. Sigo para Paris, no trem da meia-noite; fazia questão de vê-lo, antes de partir. Quando passou por mim, calculei que fosse você, ou melhor, o seu casaco de peles. A falar a verdade, não tinha certeza. Não me reconhece?

— Neste nevoeiro, meu caro Basil? Se nem reconheço a Grosvenor Square! Creio que a minha casa deve ficar por estes lados, mas também não tenho certeza. Lamento que se vá de Londres; há séculos que não o vejo. Mas voltará em breve, suponho.

— Não. Passarei seis meses fora da Inglaterra. Pretendo alugar um atelier em Paris e trancar-me nele, até acabar um grande quadro que tenho em mente... Bom, não era de mim que eu lhe queria falar. Estamos à porta da sua casa; deixe-me entrar um momento. Preciso dizer-lhe umas coisas.

— Com muito prazer, Basil. Mas você não perderá o trem? — redargüiu Dorian, displicentemente, subindo os degraus da entrada e abrindo a porta.

A luz de um lampião varava a custo a neblina. Hallward olhou o relógio.

— Tenho tempo de sobra. O trem não sai antes das doze e um quarto e são apenas onze. Ia procurá-lo no clube, quando o avistei. Nem tenho de me preocupar com bagagens, porque despachei as malas. Levo só este saco e estarei na estação em vinte minutos.

Dorian olhou-o e sorriu.

— Como viaja um artista em voga: de capote comprido e carregando um alforje! Entre, ou o nevoeiro encherá a casa. E não me venha com assuntos sérios. Hoje nada é sério. Pelo menos, não deveria ser.

Hallward seguiu Dorian à biblioteca, iluminada pelo fogo vivo da lareira. As luzes estavam acesas. Em uma mesinha marchetada, luzia aberto um estojo de prata holandesa, com sifões de soda e copos de cristal.

— O seu criado pôs-me completamente à vontade, Dorian. Deu-me de tudo o que eu desejava, inclusive os seus melhores cigarros de ponta dourada. É um sujeito hospitaleiro. Gosto mais dele do que do francês que você tinha. Por falar nisso, que é feito do francês?

Dorian encolheu os ombros.

— Parece que se casou com a camareira de lady Radley e estabeleceu a mulher em Paris como costureira inglesa. A anglomania está agora em voga na França, segundo me contaram. Tolice dos franceses, não acha? Mas, a falar a verdade, o rapaz era bom criado. Eu não simpatizava com ele, entretanto não tenho queixas. Às vezes imaginamos coisas absurdas. Ele era mesmo meu amigo, via-se que tinha pena de me deixar... Outro *brandy* com soda? Ou prefere um pouco de vinho do Reno com *seltzer?* É o que sempre tomo: deve haver aí na outra sala.

— Obrigado, nada mais — atalhou o artista, tirando o boné e o sobretudo e ajeitando-os sobre o saco de viagem que deixara a um canto. — E agora, meu caro amigo, preciso falar-lhe seriamente. Não encrespe assim a testa. Só serve para atrapalhar.

— De que se trata? — perguntou Dorian, com a costumada petulância, atirando-se a um sofá. — Espero que não seja a meu respeito. Estou farto de mim esta noite. Desejaria ser outra pessoa.

— Trata-se de você — articulou Hallward, com a sua voz grave. — Não lhe tomarei mais de meia hora.

— Meia hora! — suspirou Dorian, acendendo o cigarro.

— Não é exigir muito. E é exclusivamente para seu bem que vou falar. Sou de parecer que deve ser informado das versões horríveis que circulam a seu respeito em Londres.

— Eu preferiria não saber. Adoro os escândalos dos outros. Os que me dizem respeito não me interessam. Não têm o atrativo da novidade.

— Devem interessá-lo, Dorian. Todo cavalheiro se interessa pela sua reputação. Não há de gostar de que o mencionem como indivíduo abjeto e desclassificado. Naturalmente, você tem posição, fortuna. Mas a posição e a riqueza não são tudo. Olhe: eu não creio nessas histórias; pelo menos, não posso acreditar. O pecado é coisa que transparece em uma fisionomia; não é possível escondê-lo. Fala-se às vezes de vícios secretos. Isso não existe. Se um infeliz se entregar a um vício, logo o mostra nos contornos da boca, nos olhos, até na forma das mãos. Certa pessoa (não lhe direi quem) procurou-me o ano passado para que eu lhe fizesse o retrato. Eu nunca vira essa pessoa nem ouvira falar dela, embora tenha sabido muitas coisas depois. Pois bem: recusei o preço fabuloso que me oferecia. Havia, no feitio dos seus dedos, alguma coisa que me repugnava. Sei agora que o meu juízo foi absolutamente justo. A sua vida é pavorosa. Mas de você, Dorian, com esse rosto inocente, luminoso, puro, com essa mocidade maravilhosa, inalterável... não consigo acreditar em nada do que se diz de você. Entretanto, vejo-o raramente, você já não vai ao atelier; e, quando ouço essas murmurações espantosas, não sei o que hei de pensar. Por que é, Dorian, que um homem como o duque de Berwick se retira da sala do clube onde você entra? Por que tantos gentis-homens de Londres não vão nunca à sua casa nem o convidam a ir à deles? Você era amigo de lorde Staveley. Jantei com ele a semana passada. O seu nome foi pronunciado em relação às miniaturas que você emprestou à exposição de Dudley. Staveley espichou o lábio e opinou que você poderia ser dotado do máximo senso artístico, mas que nenhuma jovem pura, nenhuma senhora decente, deveria conhecê-lo ou estar numa sala onde você esteja. Lembrei-me de que sou seu amigo e perguntei a lorde Staveley por que dizia aquilo. Ele explicou-se. Explicou-se diante de todos. Foi um horror! Por que a sua amizade é tão fatal aos moços? Aquele pobre rapaz da Guarda suicidou-se; era seu íntimo amigo. Sir Henry Ashton saiu da Inglaterra com péssima reputação; você e ele eram inseparáveis. Como acabou o infeliz Adrian Singleton? Que fim teve o único filho de lorde Kent? Encontrei o pai ontem, em St. James Street, alquebrado de dor e de vergonha. E o jovem duque de Perth, que vida leva agora, que fidalgo da sua classe quereria dar-se com ele?

— Chega, Basil! Está falando de coisas que ignora! — atalhou Dorian Gray, mordendo o lábio, com uma inflexão de imenso desdém. — Pergunta por que Berwick sai quando eu chego? É porque sei tudo a respeito dele, não pelo que ele possa saber de mim. Com o sangue que tem, como pode ser homem de vida limpa? Fala de Henry Ashton, do jovem Perth? Fui eu que ensinei a um os vícios e o outro a ser devasso? Se o idiota do filho de Kent foi buscar esposa nas sarjetas, que culpa tenho eu? Se Adrian Singleton falsifica a firma de um amigo numa letra, sou acaso o seu tutor? Eu sei como os ingleses são "faladores". A classe média ostenta os seus preconceitos morais à mesa do seu jantar grosseiro; e, em voz baixa, vai enumerando os desregramentos das classes superiores para mostrar que freqüenta a alta sociedade e é melhor do que ela. Neste país, basta um homem ter distinção e inteligência, para que as más línguas o difamem. Que vida leva essa gente que se impinge como respeitável? Meu caro amigo, esquece que estamos na terra da hipocrisia!

— Não é essa a questão, Dorian! — protestou Hallward. — Sei que há perversão na Inglaterra, que a sociedade inglesa está eivada de falhas. Por isso mesmo eu desejei que você fosse diferente. Você não tem agido bem. Temos o direito de julgar um homem pela ação que ele exerce sobre os amigos. Os seus esqueceram totalmente a noção de honra, de bondade, de decoro. Você os tornou loucos pelo prazer. Eles mergulharam até o fundo. Foi você que os empurrou para o abismo. E pode sorrir assim! E há coisa pior! Sei que você e Harry são inseparáveis. Bastaria isso para que você não fizesse da irmã dele o assunto das bisbilhotices da cidade.

— Cuidado, Basil! Não se exceda!

— Tenho de falar, e você me ouvirá. Deve escutar! Quando conheceu lady Gwendolen, o escândalo ainda não a tocara. Haverá agora em Londres uma senhora decente que se preste a passear com ela no parque? Sim, tiraram-lhe até os filhos. Há histórias que o mostram esgueirando-se de madrugada de locais suspeitos, freqüentando disfarçado os piores antros de Londres. São verídicas? Podem exprimir a verdade? A primeira vez que mas disseram, eu ri. Agora, quando as ouço, tenho arrepios. Que me diz do que se murmura da sua casa de campo e do que se faz ali? Você nem desconfia, Dorian, do que se fala a seu respeito. Não direi que não estou lhe pregando sermões. O que eu quero é que você viva de modo a merecer o respeito do mundo. Quero que tenha um nome limpo, uma reputação inatacável. Quero que se desembarace dessa gente indigna com que tem andado. Não encolha os ombros... não seja indiferente. Você exerce uma influência prodigiosa. Exerça-a para o bem e não para o mal. Afirma-se que perverte os seus íntimos, que basta você entrar numa casa para que uma infâmia, seja qual for, lhe venha na esteira. Não sei se é verdade. Como hei de saber? É o que se diz. Contam-me coisas de que é difícil duvidar. Lorde Gloncester foi meu grande amigo em Oxford. Mostrou-me uma carta que a esposa lhe escreveu, antes de morrer sozinha em Menton. O seu nome está ali envolvido na confissão mais terrível que já li. Protestei, disse ao meu amigo que conheço bem

Dorian Gray, que você é incapaz de semelhantes ações. Conhecê-lo! Acaso eu o conheço? Antes de responder afirmativamente, precisaria ler na sua alma.

— Ler na minha alma! — gaguejou Dorian Gray, endireitando-se, quase lívido de medo.

— Sim — tornou Basil Hallward, grave e triste. — Ler na sua alma. Só Deus, porém, pode fazer isso.

Um riso repassado de escárnio e de azedume irrompeu dos lábios de Dorian Gray. E, apanhando o lampião de cima da mesa, ele disse:

— Pois há de ler você mesmo; e já! Venha. É obra sua. Por que não a poderia ver? Conte depois ao mundo, se quiser. Ninguém acreditará. E, se lhe dessem crédito, mais me apreciariam. Apesar da sua lengalenga moralizadora, você conhece a nossa época menos do que eu. Venha, estou dizendo! Já falou bastante sobre corrupção. Venha vê-la, cara a cara!

Dorian ofegava de soberba e de insânia. Ao dizer isso, batia os pés no soalho, com insolência pueril; vibrava de júbilo terrível à idéia de partilhar com alguém o seu segredo, de fazer que o autor do retrato, origem de todo o seu opróbrio, tivesse de carregar pelo resto da vida a recordação hedionda do que fizera com as suas mãos.

— Sim — prosseguiu Dorian, chegando-se mais ao artista, encarando-o com firmeza —, vou mostrar-lhe a minha alma. Você verá o que pensa que só Deus pode ver!

Hallward recuou.

— Isso é blasfêmia, Dorian! Não diga semelhante coisa. É horrível e não tem sentido.

— Parece-lhe? Ah! Ah!

— Tenho certeza. E o que acabo de dizer é para seu bem. Em mim, você terá sempre um amigo certo.

— Não me toque! Termine o que tem a dizer.

Uma sensação súbita de dor e de pena contraiu as feições do pintor. Afinal, com que direito se intrometia na vida de Dorian Gray? Se este houvesse feito só a décima parte do que lhe atribuía a maledicência, como devia estar sofrendo!... Basil Hallward levantou-se, caminhou para a lareira e ficou a olhar os troncos que ardiam sob a camada de cinzas, as erupções de labaredas crepitantes.

— Estou esperando, Basil — pronunciou Dorian, com voz límpida e dura.

O pintor voltou-se. Bradou:

— O que tenho a dizer é isto: você me deve uma resposta às acusações horríveis que lhe são feitas. Se me disser que são absolutamente falsas, do princípio ao fim, eu acreditarei. Negue, Dorian, negue tudo! Não percebe o que estou sofrendo? Não me diga que é mau, perverso, infame!

Um sorriso desdenhoso encrespou os lábios de Dorian.

— Suba comigo, Basil. Tenho lá em cima um diário da minha vida, anotado dia a dia, que nunca sai de lá e que lhe mostrarei, se quiser acompanhar-me.

— Subirei, se você quiser, Dorian. Vejo que perdi o trem. Não importa. Irei amanhã. Mas não me peça que leia o que quer que seja, esta noite. O que eu desejo é uma resposta franca à minha pergunta.

— Eu a darei lá em cima. Não posso responder aqui, mas você não terá muito para ler, Basil

CAPÍTULO XIII

Subiram. Dorian Gray precedendo o artista, que o seguia de perto, pisando cautelosamente os degraus como se faz por instinto, durante a noite. O lampião projetava sombras extravagantes na parede e na escada. Fustigadas pelo vento, algumas janelas rangiam.

No último patamar, Dorian pousou o lampião no chão, tirou a chave do bolso, girou-a na fechadura.

— Insiste em saber, Basil? — perguntou em voz baixa.

— Insisto!

— Folgo muito! — replicou Dorian, sorrindo. — Você é — acrescentou com voz mais áspera — a única pessoa que tem o direito de saber de mim tanto quanto eu. Desempenhou na minha vida um papel mais importante do que supõe.

A porta girou nos gonzos. Uma corrente de ar frio avivou num instante a chama do lampião. Dorian estremeceu.

— Feche a porta —murmurou, pousando o lampião na mesa.

Basil Hallward olhou à roda de si, com estranheza. A peça parecia desabitada desde muitos anos. Uma tapeçaria desbotada, um quadro coberto por um pano, um velho *cassone* italiano, uma estante quase vazia eram todo o mobiliário; fora essas peças, só a mesa e uma cadeira. A luz da vela meio consumida, que Dorian Gray acabava de acender no alto da lareira, revelou a densa camada de pó que encobria tudo, a começar pelo tapete esburacado. Um rato escondeu-se, assustado, numa fresta. Um cheiro de mofo pairava na atmosfera úmida.

— Está, então, convencido de que só Deus lê nas almas, Basil? Puxe aquele pano e lerá na minha.

Dorian falara com voz fria e cruel. O pintor franziu a testa e murmurou:

— Está brincando, Dorian, ou está fora de si?

— Não quer? Pois eu mesmo o farei — tornou o moço, arrancando a cortina e atirando-a ao chão.

Uma exclamação de horror escapou dos lábios do artista, ao ver o esgar hediondo do rosto pintado na tela, cuja expressão à luz indecisa o enchia de aversão e repugnância. Senhor! O que se lhe apresentava ali era o rosto de Dorian Gray! Apesar de horrível, ainda conservava alguma coisa da sua maravilhosa formosura; ainda havia ouro nos cabelos que rareavam, ainda restavam toques de carmim nos lábios sensuais. Os olhos baços não haviam perdido totalmente o belo matiz azul; nem haviam desaparecido de todo os contornos delicados das narinas e as linhas bem-torneadas do pescoço. Sim, era Dorian. Mas quem era o autor do quadro? Pareciamlhe suas as pinceladas; a moldura era a que ele desenhara. Apesar disso, Basil sentia o receio que inspira uma idéia monstruosa. Apanhou a vela, ergueu-a diante do retrato. No canto esquerdo luzia o seu nome, em letras graúdas, traçadas a vermelho.

Só podia ser uma paródia malévola, uma sátira abjeta, infame! Ele não fizera aquilo! Contudo, era o seu quadro! Basil reconhecia-o e tinha a sensação de se lhe haver transformado o sangue em gelo. O seu quadro! Que significava aquilo? Quem o deturpara?

Basil Hallward voltou-se e encarou Dorian com um olhar desvairado. A boca torcia-se-lhe; a língua seca tornara-se incapaz de articular um som. O pintor passou a mão na testa molhada de um suor viscoso.

Encostado à lareira, Dorian Gray observava-o com a expressão singular que se vê na fisionomia dos que se concentram em uma peça teatral, quando atua um grande artista. Não era de tristeza verdadeira nem de satisfação real. Era simplesmente a atenção apaixonada do espectador, talvez com um lampejo de triunfo no fundo dos olhos. Dorian tirara a flor da lapela e cheirava-a, ou fingia aspirar-lhe o perfume.

— Que significa isso? — gritou Hallward afinal, estranhando ele mesmo o som agudo e alterado da sua voz.

— Há anos passados, quando eu era ainda um adolescente — replicou Dorian, esmagando a flor entre os dedos —, você me conheceu, adulou-me, ensinou-me a envaidecer-me da minha beleza. Um dia, apresentou-me a um seu amigo; este me explicou as maravilhas de ser jovem. Você terminou o retrato que me revelou a maravilha de ser belo. Em um momento de loucura, de que ainda hoje não sei se me devo arrepender ou não, eu formulei um desejo insensato... que você talvez qualifique de súplica...

— Lembro-me! Oh! se me lembro! Não é possível! A sala é úmida; o mofo penetrou na tela. Talvez houvesse nas tintas que usei substâncias minerais nocivas... Digo-lhe que isso é impossível!

— Ah! Acaso o impossível existe? — murmurou Dorian Gray, chegando à janela e apoiando a testa na vidraça embaciada pela neblina.

— Você me disse que inutilizara o quadro...

— Enganei-me. Ele é que me inutilizou.

—Não acredito que seja o meu quadro.

—Não vê nele o seu ideal? — redargüiu Dorian, com azedume.

— O meu ideal, como você diz...

— Como você dizia!

— ... nada tinha de perverso, de infame. Você foi para mim o ideal que nunca tornarei a encontrar. Este rosto é o de um devasso.

— É o rosto da minha alma.

— Senhor! E eu adorei aquilo! Os olhos são os olhos do demônio!

— Cada um de nós, Basil, tem em si o céu e o inferno! — retrucou Dorian, com um gesto de desespero.

Basil Hallward voltou-se de novo para o retrato.

— Meu Deus! Se isto é real, se isto é o que você fez da sua vida... sim, você deve ser muito pior do que o julgam os seus detratores.

O artista levantou a vela, examinou novamente a sua obra. A superfície do quadro não sofrera alterações. Dir-se-ia que a deturpação, o horror, vinham de dentro. Em virtude de alguma misteriosa aceleração da vida interior, a lepra do pecado consumia lentamente o retrato. A decomposição de um cadáver, em uma sepultura úmida, não seria mais espantosa.

A mão de Basil tremeu, a vela caiu-lhe do castiçal ao solo e ali ficou a consumir-se. Hallward apagou-a com o pé, deixou-se cair na cadeira desconjuntada, ao lado da mesa, e enterrou o rosto nas mãos.

— Meu Deus, que lição, Dorian! Que lição tremenda!

O moço não respondeu. Mas Basil ouvia-o soluçar, à janela.

— Reze, Dorian, reze! Como era que nos ensinavam a orar, em pequenos? "Não nos deixeis cair em tentação... Perdoai-nos os pecados... Lavai as nossas iniqüidades..." O pedido da sua soberba, Dorian, foi atendido. Também o será a prece do seu arrependimento. Eu o adorei demais. Sou castigado por isso. Você se adorou demais. Somos ambos punidos.

Dorian Gray voltou-se lentamente, fitou no pintor os olhos cheios de lágrimas.

— É muito tarde, Basil.

— Nunca é demasiado tarde, Dorian. Ajoelhemos e procuremos orar. Não diz o versículo: "Embora os teus pecados sejam rubros, eu os tornarei alvos como a neve"?

— Essas palavras já não têm sentido para mim.

— Silêncio! Não diga isso! Já é muito o mal que fez na vida. Meu Deus! Não vê o espectro maldito que nos está olhando?

Dorian Gray enviesou os olhos para o quadro e naquele instante o dominou um ódio irreprimível a Basil Hallward, como se tivesse sido insuflado pela imagem da tela ou soprado ao seu ouvido pelos lábios do retrato, arregaçados num esgar. Uma raiva desesperada de animal perseguido fê-lo detestar o homem sentado à mesa, com um rancor que o seu coração jamais experimentara. Dorian correu à roda de si um olhar desvairado, que se deteve em um objeto luzidio, pousado defronte dele, na arca pintada. Sabia o que era: uma faca trazida dias antes por ele próprio, para cortar uma corda, e esquecida ali. Caminhou lentamente para ela. Passou assim por Basil Hallward. Quando se achou bem atrás dele, apanhou a faca e voltou-se. O pintor movia-se na cadeira, como se fosse levantar-se. Dorian precipitou-se, afundou-lhe a arma na nuca, deitou-lhe a cabeça na mesa e continuou a feri-la.

Ouviu-se um gemido surdo, seguido do estertor da criatura sufocada pelo sangue. Três vezes os braços estendidos se ergueram convulsivamente, agitando no ar as mãos grotescas, de dedos hirtos. Dorian golpeou-o ainda duas vezes, mas Basil não se moveu. Alguma coisa começou a escorrer no assoalho. Dorian esperou um instante, continuando a comprimir na mesa a cabeça da sua vítima. Depois arremessou longe a faca e escutou.

Percebia só o gotejar insistente no tapete esfiapado. Então abriu a porta e saiu no patamar. Silêncio absoluto em toda a casa. Nenhum sinal de vida. O moço permaneceu alguns segundos debruçado na balaustrada, sondando o poço escuro do vestíbulo. Depois, tirou a chave da fechadura e entrou, dessa vez fechando a porta atrás de si.

O outro continuava no mesmo lugar, soerguido na cadeira, deitado na mesa, com o dorso arqueado e os longos braços estendidos. Não fosse o talho rubro na nuca e a poça de sangue escuro e meio coagulado que se alastrava lentamente na mesa, Basil Hallward pareceria simplesmente adormecido.

Dorian Gray considerou, surpreso, a presteza com que ocorrera tudo aquilo, a estranha calma que sucedera ao seu frenesi. Abriu a sacada. O vento varrera a cerração. O céu parecia uma cauda monstruosa de pavão ocelada de miríades de estrelas. Embaixo, o policial fazia a ronda, projetando o clarão da lanterna sobre as portas das casas silenciosas. Na esquina, brilhou um instante a mancha avermelhada dum fiacre retardatário. Uma mulher de xale esvoaçante esgueirava-se rente às grades, olhando de espaço a espaço para trás. De repente, desatou a cantar com voz rouca. O guarda repreendeu-a; ela afastou-se, rindo. Uma rajada fria varreu a praça. A luz dos lampiões oscilou, tomou uma cor azulada. As árvores sem folhas agitaram os ramos nus e enegrecidos. Dorian retraiu-se; arrepiado, fechou a sacada.

Foi dali à porta, deu volta à

chave e saiu, sem olhar sequer o morto. Sentia que o importante era não pensar na realidade do ocorrido. O amigo que lhe fizera o retrato fatal e causador de todos os seus males saíra da sua vida. Isso bastava.

Mas, de improviso, lembrou-se do lampião, objeto curioso de lavor mourisco, em prata fosca, ornado de arabescos de aço brunido, cravejados de turquesas brutas. O criado poderia dar pela falta desse candeeiro antigo, poderia perguntar... Dorian hesitou um instante, voltou atrás, apanhou o lampião na mesa. Não conseguiu reprimir a tentação de olhar o cadáver. Como estava quieto! Que lividez horrível a daquelas mãos espalmadas! Lembravam as de uma pavorosa imagem de cera.

Dorian Gray fechou a porta, desceu lentamente a escada; os degraus rangiam com um som de choro. Parou várias vezes a escutar. O sossego e o silêncio eram absolutos. Ele ouvira apenas o rumor dos seus passos.

Entrando na biblioteca viu logo o capote e o alforje, no canto. Premeu a mola de um esconderijo na guarnição de madeira da parede, onde costumava ocultar os seus disfarces. Guardou lá dentro os objetos de Basil. Mais tarde trataria de queimá-los. Feito isso, consultou o relógio. Faltavam vinte minutos para as duas horas.

Dorian Gray sentou-se a refletir: Todos os anos, quase todos os meses, enforcavam-se na Inglaterra indivíduos culpados de ações como a que ele acabava de praticar. A vertigem do crime pairava no ar. Algum astro sanguinário passava muito perto da Terra... Mas que provas havia contra ele? Basil Hallward saíra dali às onze horas. Ninguém o vira voltar. A maioria dos criados estava em Selby Royal; seu valete fora deitar-se... Paris! Sim. Basil fora a Paris, pelo trem da meia-noite, conforme anunciara. Como era muito retraído, passariam-se meses antes que a sua ausência fosse notada e despertasse suspeitas. Meses! Tudo desapareceria muito antes.

Uma idéia súbita fê-lo pôr o chapéu, a peliça, e sair para o vestíbulo. Ali Dorian parou a escutar o passo cadenciado do policial na calçada. A luz da lanterna refletia-se na janela. Dorian esperou, contendo o fôlego.

Minutos depois, puxou o ferrolho, saiu cautelosamente, fechou a porta muito devagar e pôs-se a tocar a campainha.

Ao termo de instantes o criado acudiu, estremunhado.

— Lamentei ter de acordá-lo, Francis; mas esqueci-me da chave. Que horas são?

— Duas e dez, senhor — informou o homem, depois de olhar o relógio.

— Duas e dez! Tão tarde assim? Amanhã, você me acordará às nove. Tenho o que fazer.

— Sim, senhor.

— Esteve aqui alguém?

— O senhor Hallward. Esperou até as onze. Saiu para tomar o trem.

— Que pena! E não deixou nenhum recado?

— Não, senhor. Disse que escreveria de Paris, se não encontrasse o senhor no clube.

— Está bem, Francis. Não se esqueça de me acordar às nove.

— Não, senhor.

O criado saiu. Dorian Gray arremessou o chapéu e a peliça à mesa e entrou na biblioteca. Depois de andar um quarto de hora de um extremo ao outro da peça, mordendo o lábio, pensando, apanhou na estante o Livro Azul. Folheou-o e leu: “Alan Campbell. 152, Hertford Street, Mayfair”.

Sim. Ali estava o homem que lhe servia.

CAPÍTULO XIV

Às nove da manhã o criado despertou-o, pontualmente, entrando no quarto com a bandeja de chocolate. Dorian dormia serenamente, deitado sobre o lado direito, com uma das mãos debaixo do rosto. Dir-se-ia um garoto cansado de brincar ou de estudar.

Soerguendo-se na cama, apoiou-se no cotovelo e começou a sorver o chocolate. O sol desmaiado de novembro inundava o quarto. O céu estava limpo; e o ar, morno como em bela manhã de maio.

A pouco e pouco, os fatos da noite anterior voltaram à memória de Dorian, reconstituídos com uma nitidez tremenda que o fazia estremecer. Como sofrera! E a aversão singular, que o impelira a matar Basil Hallward, o alucinou por um instante. O cadáver ainda devia estar onde ele o deixara, já agora à luz do sol. Que horror! Há coisas que só podem estar nas trevas e não à claridade do dia...

Dorian sentia que se pensasse demais no que ocorrera, adoeceria ou perderia a razão. Há pecados cuja recordação fascina mais do que o ato de praticá-los, triunfos singulares que lisonjeiam o orgulho mais do que as paixões e dão ao espírito mais prazer do que deram, ou poderiam causar aos sentidos. O seu, porém, não pertencia a esse número. Era uma recordação que cumpria afugentar, amortecer com anestésicos, abafá-la, para impedir que ela o sufocasse...

O relógio deu meia hora depois do meio-dia. Dorian Gray passou a mão na testa, levantou se rapidamente, vestiu-se com mais esmero que de costume, escolhendo com cuidado especial a gravata e o alfinete, trocando mais de uma vez os anéis. Gastou também muito tempo à mesa do almoço, provando vários pratos, falando ao valete das novas librés que pretendia mandar fazer, para serem usadas pela criadagem em Selby; passou em revista a correspondência. Algumas cartas o faziam sorrir; três o aborreceram; uma ele leu e releu várias vezes e rasgou-a, com uma expressão de contrariedade. "Coisa séria, a memória das mulheres!", dissera um dia lorde Henry.

Depois de tomar café e enxugar lentamente a boca com o guardanapo, Dorian fez sinal ao criado que esperasse. Aproximou-se da escrivaninha, escreveu duas cartas, enfiou uma no bolso e estendeu a outra ao criado, dizendo:

— Leve já isto a Hertford Street 152, Francis. Se o senhor Campbell estiver fora da cidade, peça o endereço.

Ficando só, acendeu um cigarro e começou a rabiscar numa folha de papel, primeiro flores, depois fragmentos de arquitetura, finalmente figuras humanas. De súbito, reparou que todos os rostos apresentavam uma semelhança acentuada com Basil Hallward. Contrariado, Dorian largou o lápis e apanhou ao acaso um volume na estante. Estava firmemente decidido a não pensar no que sucedera, enquanto não fosse absolutamente necessário.

Só depois de se recostar no divã, viu a capa do livro. Eram os *Esmaltes e camafeus* de Gautier, numa encadernação de couro verde, com ornatos em ouro. Esse rico volume vinha-lhe de Adrian Singleton. Folheando-o, deu com o poema sobre a mão de Lacenaire, a mão fria, amarelenta, "ainda mal lavada do suplício", de felpas ruivas e "dedos de fauno". Dorian Gray enviesou os olhos para os seus dedos brancos e fusiformes e estremeceu involuntariamente. Continuou a virar as folhas até as adoráveis estrofes sobre Veneza:

Sur une gamme chromatique,
Le sein de perles ruissellant,
La Vénus de l'Adriatique
Sort de l'eau son corts rose et blanc.

Les dômes, sur l'azar des ondes
Suivant la phrase au pur contour,
S'enflent comme des gorges rondes
Que soulève un soupir d'amour.

L'esquif aborde et me dépose,
Jetant son amarre au pilier,
Devant une façade rose,
Sur le marbre d'un escalier.

Versos deliciosos! Só de os ler, tem-se a impressão de estar deslizando pelos canais verdoengos da cidade rosa e pérola, numa gôndola negra, de proa de prata e cortinas compridas. As linhas dos versos lembravam a Dorian os traços retos, de um azul-turquesa, da esteira das embarações que buscam o Lido. Os súbitos reflexos coloridos traziam-lhe à memória o brilho opalino do peito irisado das aves que adejam em torno do grandioso Campanile, ou passeiam com graça e majestade entre as arcadas sombrias e poeirentas.

Dorian Gray deitou-se para trás, baixou as pálpebras e repetiu mentalmente os dois últimos versos:

Diante de uma fachada cor-de-rosa,
Sobre o mármore claro de uma escada.

Veneza estava inteira nesses

dois versos. Que outono ele passara lá, que paixão maravilhosa o impelira a praticar loucuras! Veneza, como Oxford, continua a ser o pano de fundo ideal para o romance; e para o verdadeiro romantismo o ambiente é tudo, ou quase tudo. Basil acompanhara-o por certo tempo e dizia-se louco por Tintoretto. Pobre Basil, que fim horrível o seu!...

Dorian suspirou, tornou a manusear o volume, tentou esquecer. Afinal, o volume caiu-lhe das mãos; e uma agitação violenta apoderou-se dele. E se Alan Campbell não estivesse na Inglaterra? Ou se não atendesse ao chamado? Que seria dele então? Cada minuto que se escoava era de importância vital. Ele e Alan haviam sido inseparáveis. De repente, essa intimidade cessara. A datar daí, quando se encontravam em sociedade, só Dorian sorria; Alan Campbell, nunca.

Era este um rapaz de grande inteligência, embora não apreciasse as artes plásticas nem a poesia. A sua paixão dominante era a ciência, à qual consagrava em Cambridge a maior parte do seu tempo. Especializara-se em química; possuía um laboratório particular, onde se trancava o dia inteiro, com grande pesar da mãe, que o imaginara membro do Parlamento e tinha a vaga idéia de que químico é um farmacêutico que avia receitas. Alan Campbell era excelente musicista; tocava bem piano e violino, e justamente esse talento o aproximara de Dorian Gray. Tinham-se conhecido em um salão aristocrático, numa noite em que Rubinstein realizava ali um concerto privado. Depois, costumavam encontrar-se na ópera ou onde quer que se fizesse música. Essa amizade durara oito meses, durante os quais Campbell freqüentara assiduamente Selby Royal e Grosvenor Square, preso como tantos outros à fascinação singular de Dorian. Ninguém chegara a averiguar por que se tinham desavindo. Notara-se, porém, que mal se falavam e que Alan costumava retirar-se, quase em seguida, de toda a reunião onde estivesse Dorian Gray. Mudara muito; aparentemente já não apreciava a música. Deixara de tocar os seus instrumentos prediletos, pretextando, quando o interrogavam, que a ciência lhe absorvia todo o tempo. O que, aliás, era verdade. Dia a dia, Alan Campbell aprofundava-se mais no estudo da biologia; e o seu nome aparecera uma ou duas vezes em revistas científicas ligado a experiências sumamente curiosas.

Tal era o homem que Dorian Gray esperava ansiosamente, olhando o relógio de segundo em segundo, mais e mais nervoso, à medida que os minutos corriam. Levantou-se afinal e pôs-se a percorrer a sala, como um belo felino enjaulado. Tinha as mãos singularmente frias.

A demora tornava-se-lhe intolerável. Causava-lhe a impressão de que o tempo houvesse parado. E esse tempo imóvel, morto por assim dizer, dava-lhe uma visão do futuro que o petrificava de horror.

A porta abriu-se finalmente; o criado anunciou:

— O senhor Campbell.

Um suspiro entreabriu os lábios secos de Dorian; a cor voltou-lhe às faces; ao mesmo tempo, ele recobrava o autodomínio. Passara o momento de covardia.

— Diga-lhe que entre, Francis.

Minutos depois, Alan Campbell entrava, sério e pálido. Os cabelos e as sobrancelhas, de um preto carregado, acentuavam-lhe a palidez.

— Agradeço-lhe a fineza de ter vindo, Alan.

— Eu não pretendia tornar a entrar nesta casa, Gray. Mas você diz que é questão de vida ou morte — replicou o recém-chegado em tom resoluto, com um olhar desdenhoso, sem tirar as mãos do bolso do paletó de astracã, fingindo não ver que Dorian estendera a sua.

— Sim, Alan, é questão de vida ou morte; e para mais de uma pessoa. Sente-se.

Sentaram-se os dois, um defronte do outro, encarando-se. Nos olhos de Dorian luziu um lampejo de piedade. Ele sabia que ia praticar uma ação horrível.

Após um breve silêncio constrangido, curvou-se para o visitante e falou com toda a calma, observando, porém, o efeito de cada palavra na fisionomia do homem que mandara chamar.

— Alan, numa sala fechada do último pavimento desta casa, numa peça onde só eu posso entrar, há um homem morto, sentado à mesa. Morreu há dez horas. Não se mova... e não me olhe assim. Quem é esse homem, como e por que morreu são questões que não lhe interessam. O que você tem a fazer é...

— Basta, Gray! Não quero saber mais. Diga você a verdade ou não, pouco me importa. Recuso terminantemente envolver-me na sua vida. Guarde para si os seus hediondos segredos. Eles já não me interessam.

— Eles lhe interessarão, Alan. Este pelo menos será da sua conta. Lamento-o muito por você, mas acontece que não posso sair desta enrascada sozinho. Você é a única pessoa que me pode salvar. Sou, pois, forçado a implicá-lo no caso. Não tenho alternativa. Você, Alan, é uma mentalidade científica. É profundo em química e coisas análogas. Fez experiências. O que tem a fazer é destruir o que está lá em cima... fazê-lo desaparecer sem deixar vestígios. Ninguém viu esse indivíduo entrar aqui; e todos estão convencidos de que ele está agora em Paris. Não darão pela sua falta durante meses. Quando lhe estranharem a ausência, já aqui não haverá sinal dele. Você, Alan, vai convertê-lo, com tudo o que lhe pertencia, em um punhado de cinzas, que eu espalharei no ar.

— Está doido, Dorian!

— Ah! eu esperava justamente por isso: que você me chamasse Dorian.

— Está doido, repito... doido a ponto de imaginar que eu levantaria um dedo para o tirar de apuros; a ponto de fazer essa monstruosa confissão. Não tenho nada com isso, seja o que for. Pensa que vou arriscar a minha reputação por você? Sei lá que diabo andou fazendo!

— Foi suicídio, Alan.

— Estimo. Mas quem o impeliu a suicidar-se? Você, naturalmente.

— Nega-se a fazer o que lhe peço?

— Está visto que me nego! Não tenho absolutamente nada com isso. Nem me importa a vergonha que daí possa advir a você. É o que merece. Não lamentarei vê-lo desonrado publicamente, ouviu? Logo a mim é que vem pedir que o ajude nessa infâmia? Pensei que conhecesse melhor os homens. O seu amigo lorde Wotton talvez lhe haja ensinado muitas coisas, menos psicologia. Nada me induzirá a dar um passo a seu favor. Escolheu mal o cúmplice. Recorra aos seus amigos, não a mim!

— Alan, foi crime. Eu o matei. Você nem desconfia do que ele me fez sofrer. Seja a minha vida o que for, o responsável pelo que ela tem de bom ou de mau é ele, mais do que o pobre Harry. Admito que não me quisesse prejudicar voluntariamente; o resultado não deixou de ser o mesmo.

— Crime, Dorian? Meu Deus! Como pôde chegar a isso? Não o irei denunciar; não é da minha conta. Mas poderá ser preso, mesmo que eu me cale. Não há crime perfeito... Bem, repito, isso não é da minha conta.

— Há de ser da sua conta, queira você ou não. Espere, espere um instante. E escute, Alan. Não lhe peço senão que faça mais uma experiência científica. Você vai aos hospitais, aos necrotérios; os horrores que pratica lá não o comovem. Se você encontrasse esse homem numa sala de autópsias, estendido em uma mesa de chumbo munida de calhas para escoar o sangue, só veria nele um extraordinário objeto de pesquisa. Nem pestanejaria, não pensaria na possibilidade de estar agindo mal. Acharia, pelo contrário, que trabalhava em prol da humanidade, ou para aumentar os conhecimentos do mundo, ou para satisfazer a curiosidade intelectual, ou lá o que lhe viesse à idéia. O que eu desejo que faça é apenas o que tem feito inúmeras vezes; é muito menos horrendo do que está habituado a fazer. Lembre-se, o cadáver é a única prova contra mim. Se o descobrirem, estou perdido. E ele será encontrado, se você não me ajudar.

— Nem tenho o menor desejo de ajudá-lo. Esqueça-se disso. Sou apenas indiferente. O caso não me diz respeito.

— Rogo-lhe, Alan... Pense na minha situação. Antes de você chegar, quase desmaiei de terror.

Você também poderá passar por isso um dia. Mas deixemos esse assunto. Considere a questão do ponto de vista puramente científico. Você não pergunta de onde vêm os corpos em que efetua as suas experiências. Não indague agora. Já lhe disse mais do que o necessário. Peço apenas que faça isso por mim. Fomos amigos outrora, Alan.

— Não fale desse tempo, Dorian. Esse tempo está morto.

— Às vezes os mortos ficam conosco. O que está lá em cima não se irá embora. Está à mesa, de cabeça baixa e braços estendidos. Alan, Alan, se você não me socorrer, estarei perdido. Sim, serei enforcado. Compreende? Enforcado pelo que fiz.

— Não adianta prolongar esta cena. Recuso absolutamente envolver-me nisso. O que me pede é absurdo.

— Recusa?

— Sim.

— Suplico-lhe, Alan...

— É inútil.

O lampejo de piedade tornou a brilhar nos olhos de Dorian Gray. Ele estendeu a mão, apanhou uma folha de papel, escreveu umas linhas, releu-as duas vezes, dobrou cuidadosamente o papel e atirou-o à mesa. Depois levantou-se e chegou à janela.

Campbell olhou-o admirado, apanhou o papel e desdobrou-o. Mal pousou os olhos no que havia nele, tornou-se lívido e recaiu na cadeira. Torturado por um mal-estar horrível, sentia o coração pulsar com um som oco, descompassadamente.

Ao termo de minutos de terrível silêncio, Dorian voltou-se e veio pousar a mão no ombro do ex-camarada.

— Desculpe, Alan, mas você não me deixou alternativa. A carta está escrita. Olhe, tenho-a no bolso; veja o endereço. Se você não me ajudar, serei obrigado a expedi-la. Se não me quiser valer, a carta irá imediatamente. Você sabe qual será o resultado. Mas vai ajudar-me. É impossível que se negue agora. Procurei poupá-lo. Faça-me a justiça de reconhecer isso. Foi inflexível, ríspido, insolente. Tratou-me como ninguém se atreveria a tratar-me. Suportei tudo. Agora é a minha vez de ditar condições.

Campbell escondeu o rosto nas mãos e deixou escapar um gemido. Tremia. O punho de Dorian pesava-lhe no ombro como chumbo. Oprimia-o intoleravelmente, esmagava-o.

— Sim, é a minha vez, Alan. Você sabe o que eu quero. É simples. Ande, não se consuma nessa febre. O que há a fazer tem de ser feito. Enfrente a tarefa e faça-a. Decida-se.

— Não posso...

— É preciso... Não tem opção. E não se demore!

— Há uma lareira lá em cima? — perguntou o cientista, após breve hesitação.

— Sim, uma estufa a gás, revestida de amianto.

— Terei de apanhar umas coisas no laboratório...

— Não, Alan. Você não sairá daqui. Escreva o que quer. O meu criado tomará um carro e lhe trará o que for preciso.

Campbell rabiscou umas frases, dobrou o papel e escreveu no envelope o endereço do seu assistente. Dorian leu cuidadosamente o bilhete, tocou a campainha e recomendou ao criado que voltasse quanto antes, com tudo o que lhe entregassem.

Ouvindo bater a porta da rua, Campbell levantou-se subitamente e chegou-se à lareira. Tremia como de febre. Nenhum dos homens quebrou o silêncio. Uma mosca enchia o ambiente com o seu zumbido; o tique-taque do relógio assemelhava-se a marteladas.

O pêndulo deu uma hora. Alan voltou-se e viu os olhos de Dorian cheios de lágrimas. Na pureza, na finura dos seus lineamentos, havia alguma coisa que o exasperou.

— Você é infame, absolutamente infame!

— Cale-se, Alan. Salvou-me a vida.

— Salvei-lhe a vida? Senhor! Que vida! Você resvalou de abjeção em abjeção. Agora chegou ao crime... Fazendo o que faço, o que me constrange a fazer, não é na sua vida que estou pensando.

— Oh! Alan — suspirou o outro —, se tivesse de mim a milésima parte da pena que tenho de você!...

Campbell não respondeu. Ao fim de dez minutos, bateram à porta. O valete entrou com um caixote de mogno, cheio de substâncias químicas. Trazia ainda um rolo de arame de aço platinado e dois ganchos de ferro de feitio esquisito.

— Devo deixar aqui? — perguntou o criado a Campbell.

— Sim — respondeu Dorian. — Olhe, Francis, estou querendo dar-lhe outro encargo. Como se chama o florista que fornece orquídeas para Selby?

— Harden, senhor.

— Pois vá à loja de Harden, em Richmond, e diga pessoalmente ao florista que mande o dobro do que encomendei. E que ponha poucas orquídeas brancas. Ou melhor: que não mande orquídeas brancas. O dia está lindo, Francis, e Richmond é um belo passeio. Do contrário, eu não o incomodaria.

— Não é incômodo, senhor. A que hora devo estar de volta?

Dorian voltou-se para Campbell.

— Quanto tempo levará a experiência, Alan? — perguntou com voz calma, indiferente.

A presença de um terceiro restituía-lhe um prodigioso sangue-frio.

— Umas cinco horas — respondeu Campbell, nervoso.

— Apareça então pelas sete e meia, Francis. Ou melhor, deixe-me tudo pronto para me vestir. E disponha da noite. Como não janto em casa, não precisarei de você.

— Obrigado, senhor.

O outro saiu.

— Agora, Alan — tornou Dorian Gray —, não há um minuto a perder. Como pesa este baú! Levo-o eu. Apanhe você o resto.

Falava depressa, em tom autoritário. Campbell sentia-se subjugado. Subiram juntos.

No último patamar, Dorian tirou a chave do bolso, enfiou-a na fechadura. Mas ficou à porta, com a vista turva, tremendo.

— Desconfio de que não vou poder entrar, Alan...

— Como quiser. Não preciso de você — retrucou-lhe o outro, friamente.

Dorian empurrou a porta e o seu olhar caiu justamente no retrato, cujo rosto aparecia nesse momento em pleno sol. Aos pés dele, estava caído o pano de veludo escarlate. Lembrou-se de que, na véspera, se esquecera, pela primeira vez em todos esses anos, de cobrir o quadro fatal. Já se precipitava a reparar o descuido, quando estacou, horrorizado.

Que era aquele odioso orvalho rubro que porejava em uma das mãos da sua efígie, úmido e brilhante, como se a tela suasse sangue? Que horror! Era muito mais horroroso, nesse instante, para ele, do que o vulto hirto, estirado na mesa, do corpo cuja sombra deformada, grotesca, projetada no tapete maculado, mostrava que o morto continuava na posição em que ele o deixara.

Dorian respirou profundamente, abriu mais a porta e, de cabeça voltada, olhos quase fechados, entrou decidido a não ver o cadáver. Apanhou do chão o pano de ouro e púrpura e cobriu o quadro.

Imobilizou-se, então, com medo de voltar-se, cravando os olhos nos bordados do veludo. Ouviu Campbell entrar com o caixote, os ganchos e as outras coisas que requisitara para a sua lúgubre tarefa. Teria o cientista conhecido alguma vez o pintor? E, nesse caso, que idéia faziam um do outro?

— Agora, deixe-me — disse rispidamente, atrás de Dorian.

Ele voltou-se e saiu correndo, às cegas. Vislumbrara apenas o cadáver encostado no espaldar da cadeira e Campbell curvado sobre ele a examinar-lhe o rosto amarelado e lustroso.

Passava das sete, quando Alan Campbell desceu à biblioteca, pálido, mas perfeitamente calmo.

— Fiz o que você mandou. Agora, adeus. Jamais nos tornaremos a ver.

— Salvou-me da ruína total, Alan. Não o esquecerei — disse simplesmente Dorian Gray.

Subiu à sala de estudo, mal o cientista se retirou. A peça cheirava horrivelmente a ácido nítrico. Mas o vulto sentado à mesa desaparecera.

CAPÍTULO XV

Nessa noite, às oito e meia, Dorian Gray, irrepreensivelmente vestido, com violetas de Parma à lapela, era introduzido por criados respeitosos no salão de lady Narborough. A cabeça latejava-lhe com violência, a sua excitação era terrível, mas, ao curvar-se para beijar a mão da dona da casa, Dorian Gray o fez com a graça e a elegância costumeiras. Possivelmente nunca parecemos tão à vontade como quando temos de representar um papel. Quem visse Dorian Gray nessa noite não acreditaria que ele acabava de passar por uma tragédia tão terrível como nunca se vira no nosso tempo. Não era possível que aqueles dedos finos e bem cuidados pudessem empunhar uma faca para o crime, nem que daqueles lábios risonhos pudesse irromper um grito de horror, clamando a Deus. Ele próprio admirava a calma da sua atitude e, por momentos, saboreou o prazer terrível de uma dupla vida.

Era uma pequena reunião; fora organizada às pressas por lady Narboroogh — mulher de grande inteligência que, no dizer de lorde Henry, conservava vestígios apreciáveis da sua fealdade realmente notável. Ela havia sido uma excelente esposa de um dos embaixadores mais tediosos e, depois de o sepultar decorosamente num mausoléu de mármore, que ela própria desenhara, e casar as filhas com capitalistas um tanto maduros, entregara-se aos prazeres do romance francês, da cozinha francesa e do espírito francês, quando lhe sucedia captá-lo.

Dorian Gray era um dos seus favoritos. Lady Narborough costumava dizer-lhe que folgava de o não ter conhecido na mocidade.

— Porque naturalmente, meu caro, eu me apaixonaria por você e perderia a cabeça. Por sorte, naquele tempo, você não era gente.

Nessa noite, os convidados eram de espécie um tanto enfadonha.

— Porque — explicou a dona da casa a Dorian, por trás de um velho leque — uma das filhas casadas lhe chegara em casa de supetão e, para cúmulo, viera com o marido.

— Gente do campo, habituada a levar uma vida que nem lhe conto! Num vilarejo onde não ocorre um escândalo desde o tempo da rainha Elisabeth, onde em conseqüência todos caem de sono, mal acaba o jantar. Você não se sentará perto deles. Vai ficar ao meu lado, para me distrair.

Dorian Gray agradeceu cortesmente e correu o olhar pelo salão. Não se anunciava, em verdade, um serão divertido. Dos convidados, uns lhe eram estranhos, outros, o moço reconhecia como tipos extravagantes do seu meio social, entre os quais lady Alice Chapman, a filha da dona da casa — mulher insignificante, dotada dessas feições britânicas que não se gravam na memória de quem as vê — e o marido, cavalheiro muito corado, de suíças brancas, persuadido, à semelhança de muitos outros da sua classe, de que uma jovialidade excessiva pode suprir uma absoluta falta de idéias.

Dorian Gray arrependia-se quase de ter vindo, quando lady Narborough levantou os olhos para o velho relógio dourado, que exibia os seus ornatos pretensiosos no frontispício da lareira, e exclamou:

— Esse horroroso Henry Wotton, sempre atrasado! E olhem que eu lhe lembrei o compromisso esta manhã e ele me prometeu ser pontual!

Era um consolo poder contar com a presença de Henry. Quando a porta se abriu, enfim, e lorde Henry, com a sua voz pausada e musical, se desculpou cortesmente com a dona da casa, utilizando-se de alguma das suas invenções, Dorian deixou de se aborrecer.

Mas, ao jantar, não conseguiu comer nada. Deixava passar os pratos, sem os olhar. Lady Narborough não cessava de lhe exprobrar o que denominava "um insulto ao pobre Adolfo, que inventou o menu expressamente para você". Lorde Henry também estranhava o silêncio e a abstração do amigo. De espaço a espaço, o mordomo enchia-lhe a taça com champanha, que Dorian tomava sofregamente, como se a sua sede fosse aumentando.

— Dorian — disse lorde Henry por fim —, que tem esta noite? Está abatido.

— Desconfio de que está apaixonado — acudiu lady Narborough. — E não quer dizer de medo do meu ciúme. Tem toda a razão!

— Prezada lady Narborough — gracejou o moço —, há uma semana que não estou apaixonado. Desde que Madame de Ferrol deixou a cidade.

— Como pode um homem apaixonar-se por essa mulher! — exclamou a velha dama. —Não compreendo, realmente.

— É apenas porque ela se lembra de a ter conhecido em pequena, lady Narborough — disse lorde Henry. — Madame de Ferrol representa um traço de união entre nós e os seus vestidos curtos.

— Ela não se lembra absolutamente dos meus vestidos curtos,

lorde Henry. Eu, sim, lembro-me perfeitamente dela, em Viena, há trinta anos. E com cada decote!...

— Ela continua a usá-los — tornou lorde Henry, apanhando uma azeitona com os dedos longos e finos. — E, quando está decotada, parece uma edição de luxo de um mau romance francês. É realmente extraordinária, cheia de imprevistos, capaz de levar a extremos singulares o amor familiar. O pesar pela morte do seu terceiro marido tornou-lhe os cabelos completamente dourados.

— Como pode dizer isso, Harry! — exclamou Dorian.

— A explicação é sumamente romântica — observou a dona da casa, rindo-se. — Mas, terceiro marido? Não me dirá que Ferrol é o quarto!

— É, de fato, lady Narborough.

— Não acredito.

— Pois pergunte ao senhor Gray. Ele é um dos amigos mais íntimos de Madame de Ferrol.

— É verdade, senhor Gray?

— Ela me garantiu, lady Narborough — respondeu Dorian. — Perguntei-lhe se, como Margarida de Navarra, trazia os corações embalsamados dos defuntos consortes pendentes do cinto. Ela respondeu que os não podia trazer, porque nenhum deles tivera coração.

— Quatro maridos! Palavra, é excesso de zelo!

— Excesso de audácia, foi o que eu lhe disse.

— Oh! Ela tem audácia para tudo. E como é Ferrol? Não o conheço.

— Os maridos das mulheres muito bonitas pertencem às classes criminais — disse lorde Henry, sorvendo o seu vinho.

Lady Narborough tocou-o com o leque.

— Não admira que o mundo o chame de perverso, lorde Henry.

— Que mundo me chama assim? — redargüiu ele, arqueando as sobrancelhas. — Só pode ser o outro mundo. Com este eu estou nos melhores termos.

— Não há, que eu saiba, quem o não considere mau — afirmou a dama, sacudindo a cabeça.

— É absolutamente monstruoso — tornou lorde Wotton, muito sério, ao fim de uma pausa — o modo como se difama uma pessoa pelas costas, dizendo-se dessa pessoa coisas absoluta e inteiramente verídicas.

— Ele não é incorrigível?! — exclamou Dorian Gray, recostando-se na cadeira.

— Espero que o seja — replicou a dona da casa, rindo-se. — Mas, se é verdade que vocês todos adoram Madame de Ferrol dessa maneira ridícula, vou ter de tornar a casar, para estar na moda.

— A senhora nunca tornará a casar, lady Narborough — interveio lorde Henry. Foi demasiado feliz. Quando a mulher torna a casar é porque detestava o primeiro marido. E o homem, porque adorava à primeira esposa. As viúvas tentam a sorte; os viúvos arriscam-na.

— Narborough não era perfeito!

— Se o fosse, a senhora não o amaria. As mulheres prezam-nos pelos nossos defeitos. Quando estes são muitos, elas nos perdoam tudo, até a inteligência. Desconfio de que, depois de ter dito isso, lady Narborough não me convidará mais para jantar. Mas eu disse a pura verdade.

— Naturalmente, lorde Henry. Que seria dos homens, se as mulheres não os amassem pelos seus defeitos? Nenhum poderia casar-se. Teríamos um exército de celibatários infelizes. Infelizes? Não. Hoje em dia, os homens casados vivem como celibatários e os celibatários como casados.

— Fim do século — murmurou lorde Henry.

— Fim do mundo — retrucou-lhe a velha lady.

— Antes fosse o fim do mundo! — suspirou Dorian Gray. — A vida é tamanha decepção!

— Ah! meu caro — exclamou lady Narborough, enfiando as luvas. — Não me diga que esgotou a vida. Quando um homem fala em tais termos, é que a vida o esgotou. Pode estar certo. Lorde Henry é um perverso, como às vezes eu gostaria de ter sido, mas você nasceu para ser bom... parece tão bom. Eu lhe arranjarei uma linda mulherzinha. Não acha, lorde Henry, que o senhor Gray deveria casar?

— É o que sempre lhe tenho dito, lady Narborough — respondeu lorde Wotton, inclinando-se.

— Bem, trataremos de lhe descobrir uma companheira digna. Vou correr com atenção o Debrett* e fazer uma lista das moças casadoiras.

— Com as respectivas idades, lady Narborough? — indagou Dorian.

— É claro! Com as idades ligeiramente revistas. Mas isso não é coisa que se faça às pressas. Quero que seja o que o *Morning Post* denomina «aliança sólida», e que ambos sejam felizes.

— Quantos disparates se dizem acerca do casamento! — exclamou lorde Henry. — O homem pode ser feliz com qualquer mulher, contanto que não a ame.

— E que cínico é o senhor! — rebateu a velha senhora, levantando-se e acenando a uma das comensais. — Pois vai ter de jantar outra vez comigo, em breve. É realmente um tônico extraordinário, superior ao que me prescreve o médico. Mas me diga com quem gostaria de se encontrar. Faço questão de que seja um encontro aprazível.

— Gosto dos homens que têm um futuro e das mulheres que têm um passado, lady Narborough. Ou acha que, nesse caso, seria um jantar só de saias?

— Desconfio que sim — replicou ela, rindo-se. — Mil per-

* Guia da alta sociedade londrina.

dões, lady Ruxton. Não vi que terminara o cigarro.

— Não se desculpe, lady Narborough. Eu fumo demais. Preciso moderar-me futuramente.

— Não diga isso, lady Ruxton! — acudiu lorde Henry. — A moderação é fatal. "Bastante" é mau como uma refeição comum. "Mais do que o suficiente" é bom como um festim.

Lady Ruxton olhou-o com curiosidade.

— Vá explicar-me isso uma destas tardes, lorde Henry. A sua teoria é sedutora — murmurou a dama, saindo majestosamente da sala.

— E agora, senhores, não prolonguem demais a discussão da política e dos escândalos — disse lady Narborough, do limiar da porta. — Do contrário, nós acabaremos brigando no andar de cima.

Os homens riram-se. O senhor Chapman instalou-se solenemente à cabeceira da mesa. Dorian Gray mudou de lugar, para sentar-se ao lado de lorde Henry.

— Está melhor, meu caro amigo? — perguntou-lhe este. — Pareceu-me um tanto deprimido, durante o jantar.

— Não tenho nada, Harry. Cansaço apenas.

— Esteve encantador, a noite passada. Conquistou a nossa duquesinha. Ela me disse que tenciona ir a Selby.

— Prometeu-me que chegaria no dia 20.

— Monmouth irá também?

— Naturalmente, Harry.

— Ele me aborrece mortalmente, quase tanto quanto aborrece a duquesa. Ela é muito inteligente; inteligente demais, para uma mulher. Falta-lhe o vago encanto da fraqueza. São os pés de barro que dão valor ao ouro da estátua. E os pés dela... pés mimosos... não são de argila. Passaram pelo fogo, e o fogo enrijece o que não consome. Ela é experiente.

— Casada há quanto tempo, Harry?

— Há uma eternidade, disse-me ela; segundo o armorial, há uns dez anos. Mas eu calculo que dez anos de vida em comum com Monmouth sejam uma eternidade. Que outros convidados tem você?

— Ah! Os Willooghbys, lorde Rugby e a esposa, lady Narborough, Geoffrey, Clouston, os de costume. Também convidei lorde Grotrian.

— Gosto bem dele! Muita gente antipatiza com ele, mas eu o acho encantador. A sua educação requintada compensa certo exagero fortuito no seu modo de vestir. Grotrian é um tipo muito moderno.

— Não é certo que ele vá a Selby, Harry. Talvez tenha de acompanhar o pai a Monte Carlo.

— Que praga, os parentes! Insista em que ele venha! A propósito: você ontem se recolheu muito cedo. Antes das onze. Que fez depois? Foi diretamente para casa?

Dorian olhou-o, sobressaltado, e apressou-se a informar-lhe:

— Não, Harry. Só cheguei em casa pouco antes das três.

— Foi ao clube?

— Fui... Isto é, não... andei pelas vizinhanças. Nem me lembro do que fiz... Como você é curioso, Harry! Quer sempre saber o que os outros fazem. E eu sempre quero esquecer o que fiz. Cheguei a casa às duas e meia, se faz questão de saber a hora exata. O criado abriu-me a porta. Se deseja um testemunho corroborante, pode pedir o dele.

Lorde Henry encolheu os ombros.

— Acaso é da minha conta, meu caro? Passemos ao salão. Licor não, obrigado, senhor Chapman... Alguma coisa lhe aconteceu, Dorian. O que é? Você não está em si, esta noite.

— Não se preocupe comigo, Harry. Sinto-me nervoso, irritadiço. Irei vê-lo amanhã ou depois. Apresente as minhas desculpas a lady Narborough. Não subo. Prefiro ir para casa; tenho de ir.

— Está bem, Dorian. Conto com você, amanhã, à hora do chá. Convidei a duquesa.

— Procurarei não faltar, Harry — disse Dorian Gray, saindo.

A caminho da sua mansão sentiu o terror de que julgava ter-se livrado assaltá-lo de novo. As perguntas casuais de lorde Henry tinham-no desconcertado, e ele se empenhava em recobrar o sangue-frio. Restavam objetos perigosos de que era mister desfazer-se. Estremeceu. Repugnava-lhe a idéia de tocá-los.

Entretanto era preciso. Compreendeu-o, ao abrir o esconderijo onde arremessara o sobretudo e o alforje de Basil Hallward. Na lareira ardia um fogo vivo. Dorian atirou lenha às labaredas. O cheiro desagradável do tecido chamuscado, do couro ardido encheu a biblioteca. Levou-lhe quase duas horas o trabalho de consumir tudo. Terminada a tarefa, Dorian, fraco e enjoado, deitou algumas pastilhas odoríferas a um braseiro de cobre filigranado e banhou as mãos e a testa com água perfumada de almíscar.

Um tremor súbito sacudiu-o. Acendeu-se-lhe nos olhos um brilho estranho e ele mordeu nervosamente o lábio inferior. Entre duas janelas estava colocado um grande armário florentino de ébano marchetado de marfim e lápis-lazúli. Dorian olhava-o, como se ali se escondesse algo que lhe despertava ao mesmo tempo um apetite violento e uma tremenda repulsão. Com o peito arfante, as pálpebras descidas, os longos cílios sombreando-lhe as faces, sem desviar os olhos do armário, Dorian Gray acendeu um cigarro e logo o deitou fora. Levantou-se afinal do sofá onde se deitara, abriu o armário e apertou uma mola. Uma gaveta triangular abriu-se lentamente. Ele estendeu a mão, retirou-a fechada em torno de uma caixinha chinesa, de laca preta polvilhada de ouro, de um lavor finíssimo, guarnecida de cordões de seda rematados com argolas de cristal e borlas de fio metálico trançado. Abriu-a. O conteúdo era uma espécie de pasta verde, luzidia como cera, de cheiro forte e persistente.

Hesitou um instante. Um sorriso singularmente estereotipado entreabria-lhe os lábios. Depois, tremendo nessa atmosfera superaquecida, recuou e olhou o relógio. Faltavam vinte minutos para a meia-noite. O moço guardou a caixinha, fechou o armário e passou ao quarto de dormir.

As badaladas da meia-noite desfiavam no céu escuro os seus sons de bronze, quando Dorian Gray, num traje modesto, com a manta enrolada ao pescoço, esgueirou-se cautelosamente do seu palácio. Em Bond Street, faz sinal a um carro de praça e deu em voz baixa um endereço.

O cocheiro meneou a cabeça.

— Muito longe para mim, senhor.

— Aqui tem um soberano. E ganhará outro, se andar depressa.

— Perfeitamente, senhor. Lá estaremos, dentro de uma hora.

O cocheiro embolsou a moeda, apanhou as rédeas e largou a trote, na direção do Tamisa.

CAPÍTULO XVI

A chuva fria embaciava os lampiões da rua com um nevoeiro úmido. Fechavam-se os locais públicos, de cujas portas se dispersavam grupos de freqüentadores. Nos botequins ecoavam gargalhadas terríveis, ou esbravejavam os ébrios, em algazarra clamorosa.

Recostado no interior do carro, Dorian Gray via distraidamente desfilar a torpeza sórdida da grande cidade, repetindo consigo, de quando em quando, as palavras ditas por lorde Henry, no dia distante do seu primeiro encontro: "Curar a alma por meio dos sentidos e os sentidos, por meio da alma..." Sim, nisso consistia o segredo. Ele o experimentara várias vezes; tornaria a usá-lo. Havia as casas de ópio onde se comprava esquecimento, antros de horror onde se podia extinguir a recordação de pecados antigos, no delírio de novos pecados.

A lua pairava baixa no céu, semelhante a um crânio amarelado, encoberta de espaço a espaço por uma nuvem. Rareavam os lampiões nas vielas escuras. O cocheiro errou o caminho, o que o obrigou a dar uma volta de meia milha. A água das poças de chuva borrifava o cavalo fumegante. A cerração estendia nos vidros laterais do veículo panos acinzentados.

"Curar a alma pelos sentidos, os sentidos por meio da alma..."

Dorian sentia a alma enferma. Seria possível que a curassem os sentidos? Correra sangue inocente. Haveria perdão para isso? Não! Todavia, se o perdão era impossível, restava o esquecimento. E Dorian Gray estava decidido a esquecer, a esmagar com o pé essa recordação penosa, como se esmaga a víbora que nos picou. Que direito tinha Basil de lhe falar naqueles termos? Quem o erigira em juiz da vida alheia? Ele dissera coisas pavorosas, horríveis, intoleráveis.

O carro já rodava devagar. Dorian, torturado pelo desejo do ópio, com a garganta em fogo, as mãos crispadas, repreendia o cocheiro. Acabou descarregando uma bengalada no lombo do animal. O cocheiro riu-se e estalou o chicote. Dorian riu-se por seu turno e a corrida continuou em silêncio. O caminho parecia interminável, e as ruas assemelhavam-se à negra teia horizontal de alguma aranha gigantesca. A monotonia tornava-se intolerável e a cerração adensava-se cada vez mais. Dorian já estava sentindo-se apreensivo.

Costuma dizer-se que a paixão faz o pensamento andar à roda. E, em verdade, os lábios ressequidos de Dorian Gray repetiam continuamente, em um murmúrio, a frase de lorde Henry. Mas em breve se lhe depararia o meio de esquecer. Três dias depois, viria a ele despertar com outra mentalidade...

— Estamos chegando, não, meu senhor? — perguntou a voz grossa do cocheiro.

Acordando de súbito do seu devaneio, Dorian correu o olhar em torno. Mandou parar o carro, apeou-se, gratificou o cocheiro e tomou a passos largos o caminho do cais. Após alguns minutos chegava a um prédio sórdido, encaixado entre duas oficinas. No alto, havia luz em uma janela. Dorian parou e bateu de certa maneira.

Ouviu passos no corredor, o ruído de uma corrente desenganchada. A porta abriu-se mansamente. Dorian entrou sem dizer palavra ao vulto esquisito que se achatara contra a parede para lhe dar passagem. No fundo do corredor a ventania agitava um reposteiro verde, rasgado. Dorian afastou-o e entrou em uma sala baixa, iluminada por bicos de gás presos às paredes sobre refletores de zinco. Uma camada de serragem cor de ocre, reduzida em certos pontos a lodo escuro, manchada cá e lá de bebida derramada, cobria o assoalho. Alguns malaios, agachados à volta de um braseiro, jogavam com fichas de osso, e ao falar mostravam os dentes, todos muito brancos. A um canto, um marinheiro que estava dobrado sobre a mesa enterrava a cabeça nos braços.

No extremo da peça, uma escada levava a uma sala escura. Dorian subiu rapidamente os degraus e recebeu em pleno rosto uma baforada de ópio. Respirou profundamente; as narinas vibraram de prazer. Logo à entrada, deu com uma rapaz louro, que estava ocupado em acender um longo cachimbo.

— Você aqui, Adrian? — murmurou Dorian.

— Onde hei de estar? — redargüiu o outro. — Agora, os amigos não se dignam dirigir-me a palavra!

— Pensei que tivesse saído da Inglaterra.

— Darlington desistiu de me perseguir. E meu irmão pagou afinal a letra. Mas também não me quer ver. Que me importa isso? Enquanto não faltar a droga, podemos até dispensar os amigos. Talvez mesmo eu tivesse excesso de amigos.

Dorian estremeceu. Correu os olhos pelas formas grotescas deitadas em posturas extravagantes nos colchões surrados. As pernas encolhidas, as bocas abertas, os olhos baços e fixos exerciam nele uma espécie de fascinação. Para onde quer que os arrastasse, nesse instante, a embriaguez do narcótico, esses viciados eram mais felizes do que ele, preso nas garras do pensamento. A recordação roía-lhe a alma como uma doença horrível. De tempos em tempos, dava-lhe a impressão de estar vendo os olhos de Basil Hallward cravados nos seus. E não lhe seria possível ficar ali. A presença de Adrian Singleton constrangia-o. Era preferível estar onde não houvesse conhecidos. Dorian Gray aspirava a fugir de si mesmo.

— Vou a outra casa — disse, depois de uma pausa.

— A do cais?

— Sim.

— A doida estará lá, com certeza Aqui já não a deixam entrar.

Dorian encolheu os ombros.

— Estou farto de mulheres que amam. As mulheres que odeiam são muito mais interessantes. E a droga lá é bastante melhor.

— Não faz muita diferença.

— Prefiro a de lá. Venha. Tomaremos alguma coisa. Tenho sede.

— Não preciso de nada...

— Não importa.

Adrian levantou-se a custo e acompanhou Dorian Gray. Um mestiço de turbante rasgado e paletó esfiapado acolheu-os com um sorriso repugnante e pousou diante deles uma garrafa de aguardente, com dois copos. Duas mulheres abancadas ao bar alvoroçaram-se logo. Dorian voltou-lhes as costas e falou em voz baixa a Singleton. Um sorriso, sinuoso como um punhal malaio, riscou as feições de uma das mulheres.

— Estamos bem presunçosos, hoje! — escarneceu ela.

— Pelo amor de Deus, não fale comigo! — intimou Dorian, batendo o pé no chão. — Que quer? Dinheiro? Aqui o tem. E não me torne a dizer uma palavra!

Um brilho avermelhado acendeu um instante os olhos baços da mulher e logo se apagou. Ela apanhou sofregamente o dinheiro. A companheira observava-a com inveja.

— Não adianta eu ir — suspirou Singleton. — Não tenho vontade de andar. Estou bem aqui.

— Se precisar de alguma coisa, escreva-me, sim? — disse Dorian, após um silêncio.

— Pode ser.

— Então, boa noite.

— Boa noite — respondeu Singleton, subindo os degraus e passando o lenço nos lábios secos.

Visivelmente penalizado, Dorian caminhou para a saída. Ia puxar o reposteiro, quando uma risada sardônica estrondeou bem atrás dele; e a mulher a quem dera dinheiro rouquejou:

— Lá vai o que se vendeu ao diabo!

— Não diga isso, excomungada! — atalhou Dorian Gray.

A mulher estalou os dedos,

gritando atrás dele.

— Príncipe Encantador é como gostas de ser chamado, não?

O marinheiro ébrio levantou-se de um salto, olhou à roda de si. Chegou-lhe ao ouvido o rumor da porta da rua e ele embarafustou pelo corredor.

Dorian Gray percorria apressado o cais, sob a chuva fina. O encontro com Adrian Singleton perturbara-o singularmente, induzira-o a perguntar a si mesmo se Basil Hallward não teria tido razão quando o responsabilizara pela desgraça desse rapaz. Mas, afinal, que lhe importava? A vida é muito curta para tomarmos às costas o fardo dos erros alheios. Cada um vive como quer e paga pelo que faz. Só é triste que muitas vezes se deva pagar por uma só falta. E a expiação não tem fim. Nos seus negócios com o homem, o destino nunca fecha a conta.

Há momentos — dizem os psicólogos — em que o frenesi do pecado, ou do que o mundo chama pecado, domina de tal forma uma criatura, que toda fibra do corpo, toda célula do cérebro parecem animadas de impulsos terríveis. Homens e mulheres perdem, nesses momentos, o controle da vontade; correm às suas metas tremendas, como autômatos inibidos de discernir, privados de consciência ou a conservando só para emprestar encanto à desobediência e à revolta. Porque todos os pecados — como os teólogos não se cansam de lembrar — são pecados de desobediência. Quando o espírito excelso, estrela matutina do mal, caiu do céu, de lá despenhou-se como rebelde.

Furioso, com a mente turvada, a alma sequiosa de desforra e de rebelião, Dorian Gray apressava o passo. Subitamente, à entrada de uma galeria que lhe abreviava o caminho do antro para onde se dirigia, alguém o agarrou por trás antes que ele pudesse reagir, encostou-o à parede, apertando-lhe brutalmente a garganta.

Lutando desesperadamente, Dorian conseguiu fazer que se soltassem os dedos que o estrangulavam. No mesmo instante, ouviu o estalido de um revólver, o cano polido da arma brilhou diante dos seus olhos e um vulto atarracado enfrentou-o.

— Que quer? — arquejou o moço.

— Fique quieto! Ao primeiro movimento, eu atiro!

— Está doido? Que lhe fiz eu?

— Levou Sibyl Vane ao suicídio. E Sibyl Vane era minha irmã. Jurei que o mataria quando voltasse a Londres. Há anos venho-o procurando. Não tinha indícios. As duas pessoas que me poderiam dar os seus sinais morreram. Eu não sabia nada a seu respeito, salvo o nome que lhe dava Sibyl e que ouvi, esta noite, casualmente. Encomende a alma a Deus, porque vai morrer.

Dorian Gray desfalecia de medo.

— Não conheci sua irmã...

Nem de nome. Você está louco.

— É preferível que confesse os seus pecados, pois tão certo como ser eu James Vane você vai morrer. Ajoelhe-se! Dou-lhe um minuto para se pôr em paz com Deus... Não mais! Embarco esta noite para a Índia e quero deixar o "serviço" feito. Só um minuto.

Paralisado de horror, Dorian sentiu os braços descaírem-se-lhe ao longo do corpo. Mas uma idéia súbita cruzou-lhe o cérebro como um relâmpago.

— Espere! Há quantos anos morreu sua irmã? Diga depressa!

— Há dezoito anos... Por que pergunta? Que importa isso?

— Há dezoito anos — repetiu Dorian, com uma risada triunfal. — Há dezoito anos! Vamos até ao lampião e olhe para mim!

Não compreendendo o sentido dessa proposta, James Vane hesitou um instante. Afinal, agarrou Dorian e arrastou-o para fora da galeria.

O lampião, sacudido pelo vento, projetava uma luz fraca e bruxuleante. Assim mesmo, bastou para mostrar ao marinheiro o que ele julgou um equívoco terrível: o homem que se aprestava a matar não aparentava ter mais de vinte anos. Não podia ser o causador da morte de Sibyl, de forma alguma.

James soltou-o e recuou, consternado.

— Meu Deus!... Meu Deus! E eu quase o matei!

Dorian Gray respirou profundamente. Disse com toda a calma:

— Por um triz, não cometeu um crime horrível, meu caro. Sirva-lhe isso de advertência. Não procure vingar-se por suas mãos.

— Perdoe-me, senhor — murmurou James Vane. — Enganei-me. Uma palavra ouvida casualmente, naquele maldito bar, atirou-me a uma pista errada.

— Aconselho-o a ir para casa e guardar essa pistola — rematou Dorian. — Do contrário, acabará mal.

Dito isso, girou nos calcanhares e foi descendo lentamente a rua.

Jim Vane permanecia pregado à calçada, tremendo de horror da cabeça aos pés. Ao termo de instantes uma sombra negra, que se aproximara cosendo-se à parede molhada, adiantou-se para a luz e chegou-se nas pontas dos pés. Sentindo no braço a mão do vulto, Jim voltou-se sobressaltado. Reconheceu a mulher com quem tinha estado bebendo.

— Por que não o mataste? — perguntou ela, com voz sibilante e o rosto bem junto ao do marinheiro. — Adivinhei que ias atrás dele, quando saíste. Idiota! Devias matá-lo! Ele tem rios de dinheiro e é muito mau!

— Não é o homem que andei procurando — respondeu Jim Vane —, e eu não quero dinheiro. Quero a vida de um homem; de um homem que deve ter agora uns quarenta anos. Este é pouco mais do que um garoto. Graças a Deus, não sujei as mãos de sangue!

A mulher soltou uma gargalhada escarninha.

— Pouco mais do que um garoto! Ora, homem! Faz quase dezoito anos que o Príncipe Encantador fez de mim o que vês.

— Mentes! — gritou James Vane.

— Juro por Deus — retrucou ela, erguendo a mão para o céu — que digo a verdade!

— Juras por Deus?

— Emudeça-me Ele, se minto! Ele é o pior dos que vão àquela casa. Dizem que vendeu a alma ao diabo, para ter aquela cara. Eu o conheço há dezoito anos. Pouco mudou. Mudei eu! — rematou a mulher com uma careta.

— Juras que é verdade?

— Juro! Mas, por favor, não me vendas! Tenho medo dele. Dá-me uns níqueis para pagar o quarto...

James empurrou-a, praguejando, e correu à esquina.

Dorian desaparecera. James Vane voltou -se. A mulher sumira-se igualmente.

CAPÍTULO XVII

Uma semana depois, Dorian Gray conversava no jardim de inverno de Selby Royal, com a bela duquesa de Monmouth, sua hóspede com o marido sexagenário, e ocupada, nesse momento, em presidir a mesa do chá. A luz suave do enorme quebra-luz de renda avivava as cores da porcelana preciosa e fazia cintilar a prataria. Lorde Henry observava-os, recostado em uma poltrona de vime, estofada de seda. Lady Narborough, no sofá, fingia escutar o duque de Monmouth, empenhado em descrever-lhe o último inseto brasileiro adquirido para a sua coleção. Três rapazes elegantes ofereciam doces às senhoras. Estavam presentes doze pessoas e esperavam-se novos convidados no dia seguinte.

— De que estão falando? — perguntou lorde Henry, chegando devagar e pousando a taça na mesa. — Espero, Gladys, que Dorian lhe tenha exposto o meu plano de rebatizar tudo. É uma idéia divertida.

— Mas eu não quero ser batizada de novo, Harry — protestou a duquesa, erguendo os lindos olhos. — Estou completamente satisfeita com o meu nome e certa de que o senhor Gray também está contente com o seu.

— Não se trata dos seus nomes, prezada Gladys; os dois são perfeitos. Refiro-me principalmente às flores. Ontem fui colher uma orquídea para a lapela, uma flor maravilhosa, sarapintada de manchas, estonteante como os sete pecados mortais. Perguntei o nome da flor a um dos jardineiros. Ele informou que era um belo espécime de *Robinsoniana*, ou coisa assim. É uma triste verdade, mas perdemos a faculdade de dar belos nomes às coisas. O nome é tudo. Eu nunca critico os fatos. Limito-me a criticar as palavras. Eis por que detesto o realismo vulgar na literatura. O indivíduo que chama "pá" a uma pá deveria ser condenado a manejá-la. Só serve para isso.

— E você, como o deveríamos chamar? — perguntou a duquesa.

— Ele se chama Príncipe Paradoxo — interveio Dorian Gray.

— Muito bem! — aprovou a duquesa.

— Não aceito esse nome — protestou jovialmente lorde Henry, sentando-se. — Não se escapa a um rótulo. Rejeito o título.

— À realeza não deve abdicar — admoestaram os belos lábios de Gladys.

— Quer então que eu defenda o meu trono?

— Quero.

— Eu digo as verdades de amanhã.

— E eu prefiro os erros de hoje.

— Você me desarma, Gladys!

— Tiro-lhe o escudo. Não a lança...

— ... que eu nunca invisto contra a beleza.

— E faz mal, Harry, acredite. Você valoriza exageradamente a beleza.

— Como pode dizer isso? Admito que, a meu ver, é melhor ser belo do que ser bom. Mas, por outro lado, ninguém está mais pronto do que eu a reconhecer que é preferível ser bom a ser feio.

— A fealdade é, pois, um dos sete pecados mortais? Que dizer, neste caso, da sua comparação das orquídeas?

— A fealdade é uma das sete virtudes mortais, Gladys. Você, como boa conservadora, não as deve depreciar. A cerveja, a Bíblia e as sete virtudes mortais fizeram da nossa Inglaterra o que ela é.

— Não gosta do seu país? — indagou a duquesa.

— Vivo nele.

— Para o criticar mais à vontade.

— Acha que seria mais acertado adotar o conceito em que o tem a Europa?

— Que diz de nós a Europa?

— Que Tartufo emigrou para cá e aqui abriu casa de comércio.

— É sua essa opinião?

— Faço-lhe presente dela.

— Para quê? Eu não a poderia aproveitar. Contém excesso de verdade.

— Não precisa ter medo. Os nossos compatriotas não a entenderiam.

— São patrióticos.

— Mais manhosos do que práticos. Na sua balança equilibram a estupidez com a riqueza, o vício com a hipocrisia.

— Apesar disso, realizamos grandes coisas

— Grandes coisas impuseram-se a nós, Gladys.

— E nós lhes suportamos o peso.

— Sim, até a Bolsa.

A duquesa meneou a cabeça.

— Confio na nossa raça, Harry.

— Ela representa a sobrevivência de um esforço.

— Desenvolveu-se.

— A decadência me atrai mais.

— Que me diz da arte?

— É uma doença.

— O amor?

— Uma ilusão.

— A religião?

— Um sucedâneo elegante da fé.

— Você é um cético, Harry.

— Qual! O ceticismo é o princípe da crença.

— Que é você, então?

— Definir é limitar.

— Dê-me um fio, um indício.

— Os fios rebentam. E você se perderia no labirinto.

— Surpreende-me. Mudemos de assunto.

— O nosso anfitrião é um tópico delicioso. Há alguns anos denominaram-no Príncipe Encantador.

— Ah! Não me lembre isso! — exclamou Dorian Gray.

— O nosso anfitrião está hoje um tanto melancólico — disse a duquesa, corando. — Desconfio de que, na sua opinião, Monmouth casou comigo só por motivos científicos, por me julgar o melhor espécime de borboleta moderna que poderia encontrar.

— Espero que ele não a espete em alfinetes, duquesa — gracejou Dorian.

— Oh! A criada de quarto já me faz isso quando se zanga comigo.

— E por que se zanga com a senhora, duquesa?

— Pelos motivos mais banais, senhor Gray, pode estar certo. Em geral, porque chego às dez para as nove e digo que deveria estar pronta às oito e meia.

— Que moça exigente! Deveria despedi-la, duquesa.

— Não me atrevo, senhor Gray. Ela me inventa uns chapéus! Lembra-se do que usei na *gardenparty* de lady Hilstone? Não se lembra absolutamente, mas agradeço-lhe a gentileza de fingir que sim. Pois bem: era uma obra-prima que ela tirou do nada. Os chapéus chiques sempre são feitos do nada.

— Como as boas reputações, Gladys — acudiu lorde Henry. — Todo efeito que causamos nos arranja um inimigo. Só é popular a mediocridade.

— Não entre as mulheres — protestou a duquesa, meneando a cabeça. — E as mulheres regem o mundo. Asseguro-lhe que nós não toleramos a mediocridade. Alguém já disse: "Nós, as mulheres, amamos com os ouvidos, como os homens amam com os olhos, se é que os homens podem amar".

— Não fazemos outra coisa, duquesa! — disse Dorian.

— Equivale a dizer que nunca amam realmente! — replicou a duquesa, com ironia e tristeza.

— Como pode dizer isso, prezada Gladys? — acudiu lorde Henry. — O amor vive de repetição; e a repetição converte o apetite em arte. Ademais, toda vez que amamos, é o único amor da nossa vida. A diferença de objeto não altera a unidade da paixão. Intensifica-a, simplesmente. Cada um de nós tem, na existência, no mínimo uma grande aventura. O segredo da vida é reeditar essa aventura sempre que seja possível.

— Mesmo quando ela nos magoou, Harry? — perguntou a duquesa, após uma pausa.

— Especialmente quando ela nos magoou — replicou lorde Henry.

— Que diz a isso, senhor Gray? — tornou a duquesa, voltando-se com uma curiosa expressão no olhar.

Dorian hesitou um instante. Depois, deitou a cabeça para trás e riu-se.

— Eu sempre concordo com Harry, duquesa.

— Embora ele se engane?

— Harry nunca se engana, duquesa.

— E essa filosofia o faz feliz?

— Nunca procurei a felicidade. Quem se importa com a felicidade? Sempre busquei o prazer.

— Encontrou-o, senhor Gray?

— Freqüentemente. Com muita freqüência.

A duquesa suspirou.

— Eu procuro a paz. E, se não for vestir-me, não a terei esta tarde.

— Deixe-me dar-lhe umas orquídeas, duquesa — disse Dorian, levantando-se e atravessando o jardim de inverno.

— Que namoro escandaloso, prima! — observou lorde Henry. — Tome cuidado! Ele é muito sedutor.

— Se ele não o fosse, não haveria luta.

— A grega contra o grego, então?

— Eu sou pelos troianos. Eles lutavam por uma mulher.

— Foram batidos.

— Há coisas piores do que o cativeiro.

— Você galopa à rédea solta.

— A velocidade é vida, primo.

— Vou escrever isso logo à noite, no meu diário.

— Escrever o quê?

— Que gato escaldado não tem medo de água quente.

— Não me sinto escaldada. Tenho as asas intactas.

— E usa-se para tudo, menos para fugir.

— A coragem passou dos homens às mulheres, primo. É, para nós, uma sensação nova.

— Saiba que tem uma rival.

— Quem?

— Lady Narborough — respondeu lorde Henry sorrindo, com muito mistério. — Ela o adora.

— Você me assusta! O gosto pela antigüidade é fatal a quem, como nós, tem pendor para o romantismo.

— Romantismo! Vocês praticam todos os métodos científicos!

— Os homens ensinaram-nos.

— Mas não os explicaram — retorquiu lorde Henry.

— Defina o nosso sexo! — desafiou-o Gladys Monmouth.

— Esfinges sem segredos.

Ela encarou o primo, sorrindo.

— Como se demora o senhor Gray! Vamos ajudá-lo. Esqueci-me de lhe dizer a cor do meu vestido.

— Ora! Escolha o vestido de acordo com as flores que ele lhe der, Gladys.

— Seria uma capitulação prematura.

— A arte romântica começa do apogeu.

— Preciso ter uma oportunidade de retirada.

— À maneira dos partos, não?

— Eles se garantiam salvos no deserto. Eu não disponho disso.

— Nem sempre as mulheres podem optar — começou lorde Henry.

Mas interrompeu-se inopinadamente. Do extremo da estufa chegou-lhe ao ouvido um queixume abafado, seguido do baque surdo de um corpo nos ladrilhos. Lorde Wotton e a duquesa levantaram-se — ela, paralisada de terror. Precipitaram-se ambos, entre os leques ondulantes das palmeiras, na direção do gemido. Dorian Gray jazia de bruços, no chão, desfalecido.

Levaram-no logo para o salão azul, onde o deitaram em um divã. Pouco depois, ele recobrou os sentidos e olhou à roda de si, com estranheza.

— Que aconteceu? — perguntou. — Ah! lembro-me agora — acrescentou, estremecendo. — Estarei seguro aqui, Harry?

— Meu caro Dorian, você apenas desmaiou. Foi só isso. Talvez esteja muito fatigado. Não será melhor que não desça para o jantar? Eu o substituirei.

— Não. Prefiro descer. Não quero ficar sozinho — decidiu o moço levantando-se com dificuldade.

Foi ao seu quarto e preparou-se para a noite. À mesa, deu mostras da mais despreocupada alegria. Mas de quando em quanto tremia, gelado de pavor, lembrando-se de que vira, pouco antes, achatado contra a parede envidraçada do jardim de inverno, como um pano branco, o rosto pálido de James Vane que de lá o vigiava.

CAPÍTULO XVIII

No dia seguinte, Dorian Gray não saiu de casa. Encerrou-se muito tempo no quarto, apavorado pelo pressentimento da morte e, ao mesmo tempo, indiferente à vida. Começara a dominá-lo a consciência de estar sendo perseguido, Em certos momentos, porém, atribuía tudo à pura sugestão. Se um estranho suspeito rondasse a casa, os criados, os guardiães o notariam. Se encontrassem rastos nos canteiros, os jardineiros comunicariam o fato ao amo. Sim, fora decerto ilusão; o irmão de Sibyl não poderia ter vindo para matá-lo. Embarcara no seu navio, para algum mar distante. Desse, aliás, nada tinha a temer; o marinheiro não o conhecia, não podia conhecê-lo. A máscara de mocidade o salvara.

Vá que fosse ilusão... Mas que poder, o da consciência! Que vida seria a dele, daí em diante, se os espectros dos seus erros o perseguissem dia e noite? Oh! E a hora de delírio em que ele tivera a coragem de matar o seu amigo! Como lhe ficara gravada na memória a cena do seu crime!...

Entrando às seis da tarde no quarto de Dorian, lorde Henry surpreendeu-o chorando desoladoramente.

Só no terceiro dia Dorian aventurou-se a sair ao ar livre. Na clara manhã de inverno, perfumada do aroma dos pinheiros, pairava um quê de vital, de estimulante que lhe restituía a despreocupação, o amor à vida. Não eram, no entanto, só as condições físicas as causas da mudança. Dorian Gray reagia ao excesso de angústia que vinha solapando a perfeição da sua serenidade.

Depois do desjejum, ele passou uma hora no jardim em companhia da duquesa. Em seguida atravessou o parque, de carro, a fim de se reunir aos caçadores. A geada polvilhava, como sal, todo o gramado; o céu lembrava uma tigela azul, emborcada no alto; uma tênue fita de gelo orlava o lago quieto, ponteado de juncais.

Numa curva do pinheiral, Dorian avistou Geoffrey Clouston, irmão de Gladys. Apeou-se, despediu o moço da estrebaria com a carruagem e foi, entre o matagal, reunir-se aos hóspedes.

— Boa caça, Geoffrey?

— Não muito, Dorian. As aves andam ariscas. Talvez seja melhor depois do almoço, em outro terreno.

Dorian Gray continuou a andar ao lado do amigo.

O ar penetrante, impregnado do aroma resinoso, os tons pardacentos e avermelhados do bosque outonal, os brados roufenhos dos batedores, os estampidos das armas de caça fascinavam-no, causavam-lhe uma sensação deleitosa de liberdade, de alegria e de despreocupação jubilosa.

De súbito, de um tufo espesso do capinzal seco, uma lebre pulou, de orelhas levantadas, para a moita próxima. Sir Geoffrey levou a arma ao ombro, mas alguma coisa, talvez a graça do animalzinho, encantou singularmente Dorian Gray.

— Não atire, Geoffrey! Deixe a lebre viver.

— Que bobagem, Dorian! — rebateu o outro, divertido.

E o tiro partiu, quando o animal entrava no silvado. Ecoaram dois gritos: o da lebre assustada, que é terrível; e um grito humano de agonia, que é ainda mais aterrador.

— Meu Deus! Acertei em algum canteiro! — gemeu Sir Geoffrey. — Esse burro mete-se, então, diante das armas? Parem, camaradas! Há um homem ferido!

O chefe dos batedores acudiu, correndo, de vara na mão.

— Onde, senhor? Onde está o ferido?

Ao mesmo tempo, o fogo cessou em toda a linha.

— Ali — respondeu Geoffrey exasperado, correndo para a moita. — Por que não manda os seus rapazes ficarem a distância? Estragou-me o dia!

Dorian viu os dois homens entrarem no silvado. Momentos depois reapareciam, arrastando um corpo. Ele voltou-se, transido de horror. Decididamente a desgraça acompanhava-o a toda parte. Dorian ouviu Geoffrey perguntar se o homem morrera de fato, e a resposta afirmativa do monteiro. Na moita fervilharam de repente inúmeras cabeças, com um burburinho confuso e o rumor dos passos dos caçadores alertados.

Ao termo de instantes, que foram para Dorian horas intermináveis de sofrimento, ele sentiu que lhe tocavam o ombro. Voltou-se, sobressaltado, e deu com lorde Henry.

— É melhor que mande suspender a caça, hoje, Dorian. Não ficaria bem continuar.

— Por mim, eu a suspenderia para sempre, Harry. É uma diversão horrível, cruel. O homem está mesmo...?

— Receio que sim — disse lorde Wotton, respondendo à frase que Dorian não conseguira completar. — Recebeu a carga em pleno peito. A morte foi decerto instantânea. Venha. Vamos para casa.

Andaram um pouco em silêncio. De repente, Dorian voltou

a encarar o amigo.

— É mau agouro, Harry, muito mau sinal..

— A que se refere! Ah! Ao acidente, suponho. Era inevitável, meu caro; e a culpa cabe à própria vítima. Quem a mandou colocar-se diante das carabinas? Ademais, não é pessoa da casa. O pior é para Geoffrey. Sempre é desagradável "sapecar" um batedor. Prova pelo menos que o caçador não tem boa pontaria. E não é o caso de Geoffrey, que é excelente atirador. Mas que adianta falar disso agora?

— É mau sinal, Harry. Sinto que vai acontecer alguma coisa a um de nós. A mim, talvez — concluiu o moço passando a mão nos olhos, num gesto de desespero.

— A pior coisa deste mundo, o pecado para o qual não há perdão, Dorian, é o tédio. Mas eu não vejo por que nos aborreceríamos, a não ser que os camaradas se lembrem de comentar o ocorrido ao jantar. Eu lhes direi que esse assunto é tabu. Agouros, sinais, são coisas que não existem, Dorian. O destino não costuma enviar arautos. É muito sabido, ou muito cruel para fazer isso. De resto, que pode acontecer-lhe, Dorian? Você tem tudo o que um homem pode desejar neste mundo. Não há na terra quem não se desse satisfeito com estar no seu lugar.

— E não existe na terra uma criatura com quem eu não quisesse trocar o meu lugar, Harry. Não se ria assim: estou falando a verdade. O campônio miserável que acaba de ser morto está melhor do que eu. Eu não tenho medo da morte. O que me apavora é a aproximação da morte, as suas asas monstruosas que sinto adejar em uma atmosfera sombria, em torno de mim. Meu Deus!... Não está vendo aquele homem, atrás das árvores, ali... olhando-me, esperando-me?

Lorde Henry voltou-se para a direção indicada.

— Vejo, sim — disse, sorrindo — Vejo o jardineiro, esperando por você, talvez para lhe perguntar com que flores deve enfeitar a mesa logo mais. Como está absurdamente nervoso, meu caro! Logo que voltarmos à cidade, vá consultar o meu médico.

Reconhecendo por sua vez o jardineiro, Dorian suspirou, aliviado. O homem levou a mão ao chapéu, enviesou um olhar incerto para lorde Henry e entregou afinal ao amo a carta que trazia na mão.

— Sua graça mandou que eu esperasse a resposta, senhor.

— Diga a sua graça que estou chegando agora — respondeu friamente Dorian Gray.

— Como as mulheres adoram o perigo! — gracejou lorde Henry, mal o jardineiro deu as costas. — É uma das qualidades femininas que mais admiro. A mulher namorará qualquer sujeito deste mundo, contanto que haja espectadores para o seu flerte.

— E você, como gosta de dizer coisas perigosas, Harry! E, neste caso, segue uma pista errada.

Eu simpatizo muito com a duquesa, mas francamente não a amo.

— E a duquesa ama-o muito, Dorian, mas, para dizer a verdade? não simpatiza tanto com você. Logo, estão quites.

— Você espalha escândalo, Harry. E nunca há base para escândalo.

— A base de todo o escândalo é uma certeza imoral — replicou lorde Henry, acendendo um cigarro.

— Você sacrificaria tudo ao prazer de um epigrama, Harry!

— O mundo o que quer é estar no altar, meu caro!

— Quem me dera poder amar! — exclamou Dorian Gray, com inflexão sentida. — Mas parece que perdi a faculdade de me apaixonar, que o desejo morreu em mim. Concentrei-me demais no meu eu e a minha personalidade se tornou um peso. Só aspiro a escapar-me, a desaparecer, a esquecer. Que estupidez ter vindo para cá! Vou telegrafar a Harvey para que me apronte o iate. No barco, estarei a salvo.

— Salvo de quê, Dorian? Está acaso em apuros? Por que não me diz o que é? Sabe que eu o ajudaria.

— Não posso dizer, ou melhor, talvez seja só uma idéia extravagante. Este acidente desconcertou-me, Harry. Tenho o pressentimento de que me poderia acontecer alguma coisa do gênero. É um pressentimento horrível.

— Que absurdo!

— Espero que o seja; mas não me posso abster de pensar nisso. Ah! Aí vem a duquesa; uma Ártemis de *tailleur*. Estamos chegando, como vê, duquesa.

— Fui informada de tudo, senhor Gray. O pobre Geoffrey está fora de si. E parece que o senhor lhe pediu que não atirasse à lebre. É curioso.

— Muito curioso. Não sei o que me fez dizer aquilo. Um capricho, talvez. O animalzinho era tão lindo, vivo! Mas lamento que lhe tenham falado disso. É assunto odioso!

— Apenas desagradável — interveio lorde Henry. — Destituído de valor psicológico. Agora, se Geoffrey tivesse feito aquilo de propósito, como seria interessante! Gostaria de conhecer o autor de um verdadeiro crime.

— Você é horroroso, Harry! Não acha, senhor Gray?... Harry, o senhor Gray sente-se mal outra vez!... Vai desmaiar!

— Não é nada, duquesa — atalhou Dorian com esforço. — Os meus nervos estão horrivelmente agitados. Apenas isso. Andei talvez demais esta manhã. Não ouvi o que Harry disse. Alguma perversidade? Você me repetirá as suas palavras logo mais. Penso que é melhor deitar-me. Desculpam-me, não é verdade?

Estavam ao pé da grande escadaria que levava do jardim de inverno ao terraço. Quando a porta envidraçada se fechou atrás de Dorian, lorde Henry voltou-se e fitou na duquesa os olhos langorosos.

— Está muito apaixonada por ele? — perguntou afinal. Ela não respondeu logo. Corria o olhar pela paisagem.

— Quem me dera saber! — disse enfim.

Lorde Wotton meneou a cabeça.

— Saber seria fatal. Na incerteza é que está o encanto. O nevoeiro dá às coisas aspectos maravilhosos.

— Mas a gente pode errar o caminho.

— Todos os caminhos vão dar ao mesmo ponto, Gladys.

— Qual é...?

— A desilusão.

— Foi a minha estréia na vida — suspirou a dama.

— Veio-lhe coroada.

— Estou farta de florões, primo.

— Os seus, as suas folhas de morangueiro, ficam-lhe bem.

— Só em público.

— Elas lhe fariam falta.

— Não perderei nem uma pétala!

— Monmouth tem ouvidos!...

— Os velhos são surdos.

— Ele nunca foi ciumento?

— Antes fosse!

Lorde Henry olhou à roda de si, como se buscasse alguma coisa.

— Que procura? — perguntou-lhe a prima.

— O botão do seu florete. Você o deixou cair.

— Resta-me a máscara — rebatou ela, sorrindo.

— Que lhe dá mais beleza aos olhos.

Gladys tornou a sorrir. Os seus dentes dir-se-iam sementes brancas na polpa rubra de um fruto.

No andar de cima, Dorian Gray deitara-se em um sofá. Tremia-lhe de apreensão cada fibra do corpo. A vida tornara-se-lhe de repente odiosa como um fardo que lhe custasse carregar. O fim horrível do desgraçado batedor, morto a tiro na moita como um animal bravio, era para ele como que a prefiguração da sorte que o aguardava.

Às cinco horas chamou o criado e ordenou-lhe que lhe arrumasse a mala, para o expresso noturno de Londres. A carruagem deveria estar à porta às oito e trinta. Decidira que não passaria uma noite mais nesse lugar agourento. A morte andava ali, dia claro. A grama do bosque manchara-se de sangue...

Escreveu algumas linhas a lorde Henry, para lhe dizer que ia à cidade consultar o médico e pedir-lhe que fizesse as vezes de dono da casa durante a sua ausência. Punha a carta no envelope, quando o criado bateu à porta e o advertiu de que o monteiro-mor desejava falar-lhe.

Dorian franziu a testa, contrariado.

— Mande-o entrar — disse, após breve hesitação.

Abriu a gaveta, puxou o talão de cheques e abriu-o diante do subalterno.

— Presumo que me vem ver pelo acidente desta manhã, não é, Thornton?

— Sim, senhor.

— O pobre-diabo era casado? Tinha família? — prosseguiu Dorian, aborrecido. — Nesse caso, eu não admito que a gente dele passe necessidades. Darei o que for preciso.

— Não sabemos quem é esse homem, senhor. É por isso que tomei a liberdade de procurá-lo.

— Não o conhecem? — redargüiu Dorian, displicentemente. — Que quer dizer? Não é um dos seus?

— Não, senhor. Eu nunca o vi. Parece mais um marinheiro.

A pena caiu da mão de Dorian Gray. Ele juraria que o coração parava de lhe bater no peito.

— Marinheiro? Você disse *marinheiro*?

— Sim, senhor. Parece marinheiro, pelos braços tatuados e por outras coisas...

— Que lhe encontraram na roupa? — tornou Dorian, curvando-se ansioso. — Alguma coisa que o identifique?

— Algum dinheiro... não muito... e um revólver. E nem sinal do nome. Um sujeito de cara honrada, mas grosseira. Um marinheiro, pelo que podemos julgar.

Dorian levantou-se subitamente. Uma esperança terrível pairava-lhe ante os olhos.

— Onde está o corpo? Depressa! Vamos lá.

— Na cocheira vazia do estábulo. Ninguém gosta de ter essas coisas em casa, senhor. Dizem que um cadáver dá azar.

— No estábulo! Vá para lá e espere-me. Diga a um dos pajens que me traga o cavalo... Não; não diga nada. Vou eu mesmo à cavalariça. Pouparei tempo.

Em menos de quinze minutos, Dorian Gray montou e saía a galope, alameda abaixo, em direção ao estábulo. As árvores iam ficando para trás, como uma procissão espectral projetando sombras fantásticas através do caminho. A égua chegou a assustar-se e quase cuspiu da sela o cavaleiro. Dorian fustigou-lhe o pescoço com uma chicotada. O animal disparou como uma flecha; os seixos voavam-lhe debaixo dos cascos.

Chegou enfim ao estábulo. Dorian apeou-se e atirou as rédeas a um criado. Uma luz fraca iluminava a cocheira mais distante. O corpo devia estar lá. Dorian tomou às pressas pelo atalho, pousou a mão no trinco. Parou então um momento, sentindo que estava na iminência de descobrir se o aguardava a vida ou a morte. Afinal empurrou a porta e entrou.

No canto mais afastado, em um monte de sacos, jazia o corpo de um homem, vestido apenas com uma camisa grosseira e um par de calças azuis. Um lenço manchado escondia-lhe o rosto. Ao lado dele, ardia uma vela, enfiada no gargalo de uma garrafa.

Sacudido por um arrepio, sentindo que não conseguiria retirar com a sua mão o lenço que lhe ocultava as feições do morto, Dorian chamou um criado da chácara.

— Tire isso daí. Quero ver-lhe o rosto — disse, amparando-se ao portal.

O criado obedeceu. Dorian Gray adiantou-se. Um grito de júbilo irrompeu-lhe dos lábios: o homem abatido na moita era James Vane!

Dorian Gray permaneceu uns instantes mais absorto em contemplar o cadáver. A caminho da sua mansão, ia com os olhos rasos de lágrimas. Sabia que estava salvo.

CAPÍTULO XIX

— Não adianta dizer-me que pretende ser bom — exclamou lorde Henry, molhando os dedos na taça de cobre, cheia de água de rosas. — Você já é perfeito. Não mude, por favor!

— Não, Harry. Fiz coisas horríveis na minha vida. Resolvi adotar outra norma. Comecei ontem as minhas boas ações.

— Onde esteve ontem?

— Fora da cidade, em uma pequena hospedaria, perto de Selby.

— Qualquer pessoa pode ser boa no campo, meu filho. Ali não há tentações. Eis por que as populações rurais são tão pouco civilizadas. Civilizar-se não é fácil. Só se consegue por dois meios: cultivando-se, ou pervertendo-se. A gente do campo não tem ensejo de praticar nem um nem outro. Por isso, vive na estagnação.

— Corrupção e cultura... Sei alguma coisa a esse respeito. Agora parece-me terrível a junção constante desses dois meios. Porque tenho um novo ideal, Harry. Vou mudar de vida. Creio que já mudei um pouco.

— Ainda não me disse qual foi a sua boa ação. Ou praticou mais de uma? — tornou lorde Henry, arrumando no prato uma pirâmide de morangos e polvilhando-a com açúcar.

— Não é história que se possa contar a qualquer um. A você, sim. Poupei alguém. Parece gabolice, mas você compreende o que eu quero dizer. Ela era linda; parecia-se extraordinariamente com Sibyl Vane. Creio que foi isso o que mais me atraiu. Lembra-se de Sibyl? Faz tanto tempo! Bem; Hetty não é uma dama e sim uma pobre rapariga de aldeia. Mas, acredite, eu lhe tinha amor. Neste maio maravilhoso que está correndo, ia vê-la duas ou três vezes por semana. Ontem, ela me esperava, toda risonha, no pomar, preparada para fugir comigo esta madrugada. Pois olhe: de repente, decidi deixar lá essa flor de pequena, intacta como a conheci.

— Desconfio de que a novidade da emoção lhe deva ter causado verdadeiro prazer, Dorian. Mas completarei por você o seu idílio: deu bons conselhos à garota e partiu-lhe o coração. É assim que principia a regenerar-se.

— Não tenho a menor idéia. Se Basil resolve esconder-se, não é da minha conta. Se morreu, nem quero pensar nisso. A morte é a única coisa que me assusta. Abomino-a.

— Por quê?

— Porque — explicou lorde Henry, abrindo o frasco de sais e passando-o sob o nariz —, porque, hoje, é possível sobreviver a tudo, menos à morte. A morte e a vulgaridade são, no século dezenove, os únicos fatos que não têm explicação. Tomemos café na sala de música, Dorian. E você me tocará Chopin. O homem com quem minha mulher se foi tocava Chopin divinamente. Pobre Victoria! Eu gostava bem dela. A casa, sem a sua presença, está um tanto vazia... Naturalmente a vida de casado é apenas um hábito... um mau hábito. Mas é difícil perder um hábito, mesmo o pior. Talvez seja até o que mais custa. Os maus hábitos são uma parte essencial da nossa personalidade!

Dorian não replicou. Levantou-se, passou à sala contígua, sentou-se ao piano e deixou correr os dedos no teclado. Quando serviram o café interrompeu-se e, voltando-se para lorde Henry, perguntou:

— Nunca lhe ocorreu, Harry, que Basil tenha sido assassinado?

Lorde Henry bocejou.

— Basil era muito popular e usava apenas um relógio Waterbury. Por que o matariam? Nem era inteligente a ponto de ter inimigos. É claro que tinha um grande talento para a pintura. Mas um homem pode pintar como Velásquez e ser bronco. Na realidade, Basil era assim. Só me interessou uma vez, e foi há anos, quando me disse que você lhe inspirava uma verdadeira idolatria e era o tema dominante da sua arte.

— Eu estimava sinceramente Basil — tornou Dorian, com uma inflexão triste. — Ninguém insinuou que ele foi assassinado?

— Alguns jornais aventaram essa hipótese. Não me parece absolutamente provável. Sei que há lugares medonhos em Paris. Mas Basil não era dos que os freqüentam. Não tinha curiosidade; e era o seu maior defeito.

— Que diria você, Harry, se eu lhe dissesse que matei Basil? — perguntou Dorian, espreitando atentamente o efeito das suas palavras.

— Eu diria, meu caro, que está tomando uma pose que não lhe assenta. Todo crime é vulgar, como toda vulgaridade é crime. Não está em você praticar um crime, Dorian. Lamento ferir-lhe a vaidade dizendo isso; mas lhe garanto que é verdade. O crime é apanágio exclusivo das classes inferiores. Não as censuro absolutamente por isso. A meu ver, o crime é para elas o que é para nós a arte: simplesmente um meio de provocar sensações raras.

— Um meio de provocar sensações raras? Pensa então que o autor de um homicídio possa praticar de novo o mesmo crime? Não me diga semelhante coisa!

— Ora! — exclamou lorde Henry, com uma risada.— Tudo o que fizermos com freqüência se torna prazer. Esta é uma das maiores revelações da vida. Sou, no entanto, de parecer que o crime é sempre um erro. Nunca se deveria fazer uma coisa de que não se possa falar depois do jantar. Voltemos, porém, ao pobre Basil. Bem eu gostaria de crer que ele tenha acabado dessa maneira tão romântica. Mas realmente não posso acreditar. Admito mais facilmente que ele tenha caído de um ônibus no Sena e que o condutor haja abafado o escândalo. Sim, desconfio de que foi esse o seu fim. Parece-me que o vejo, boiando de costas na água verde-escura, entre barcas pesadas, com algas agarradas aos cabelos. Sabe? Para mim, Basil já não faria grande coisa. Nos últimos dez anos, a pintura dele decaíra muito.

Dorian soltou um suspiro. Lorde Henry levantou-se e foi alisar a cabeça do curioso papagaio de Java que se balançava em um poleiro de bambu.

— Sim — prosseguiu lorde Wotton, voltando-se e puxando o lenço do bolso —, a pintura dele decaíra. Eu tinha a impressão de que lhe faltava alguma coisa. Perdera o ideal. Quando você deixou de ser o seu grande amigo ele também deixou de ser grande artista. O que foi que esfriou essa amizade? Presumo que Basil o aborrecia. Se foi isso, naturalmente, ele nunca o perdoou. É o hábito das pessoas cacetes. A propósito: que fim levou o maravilhoso retrato que ele lhe fez? Penso que o não tornei a ver depois de pronto. Ah, sim! você me disse que o mandara a Selby e que o quadro se perdera, ou fora furtado pelo caminho. Nunca o recuperou? Que pena! Era de fato uma obra-prima. Do melhor período de Basil. Depois disso, os seus quadros não passaram da mescla de má pintura e de boas intenções que autoriza qualquer indivíduo a intitular-se representante da arte inglesa. Você não pôs um anúncio? Devia ter publicado.

— Não me recordo. Parece-me que mandei pôr o anúncio. A verdade é que nunca liguei muita importância ao retrato. Arrependi-me de ter posado para ele. É para mim uma lembrança odiosa. Por que me falava dele? Esse quadro sempre me trazia à memória uns versos curiosos... do *Hamlet,* se não me engano... Mais ou menos isto:

... como o retrato de uma dor,
um rosto sem coração.

— Sim, era isso o que ele parecia.

Lorde Wotton riu-se.

— Se um homem leva a existência artisticamente, o seu cérebro fica sendo o seu coração — disse, acomodando-se em uma poltrona.

Dorian Gray meneou a cabeça e tirou alguns acordes do piano, repetindo:

“Como o retrato de uma dor, um rosto sem coração...”

Recostado na poltrona, lorde

Henry observava-o por entre as pálpebras quase cerradas. Ao termo de instantes, tornou:

— A propósito, Dorian: que adianta ao homem conquistar o universo se... como continua a citação?... se "perde a alma"?

A música cessou inopinadamente. Dorian Gray, sobressaltado, encarou o amigo.

— Por que me pergunta isso, Harry?

— Meu caro rapaz — replicou lorde Harry, abrindo os olhos, surpreso — perguntei porque pensava que você me pudesse dar uma resposta. Só por isso. Eu atravessava o parque, no domingo passado. Ao pé do Marble Arch, um bando de maltrapilhos escutava um vulgar pregador ambulante. Passando por ele, ouvi o homem berrar essa pergunta aos seus ouvintes. Ela me impressionou por ser um tanto dramática. Em Londres, abundam os efeitos curiosos desse gênero. Em um domingo chuvoso, um cristão de cara esquisita e de impermeável, um agrupamento de caras pálidas, emaciadas sob um telheiro irregular de guarda-chuvas gotejantes e uma frase admirável arremessada ao ar por uma voz esganiçada... eis uma cena realmente sugestiva. Lembrei-me de dizer ao profeta que a arte tem alma e o homem não. Mas receei que ele não me compreendesse.

— Não diga isso, Harry. A alma é uma realidade terrível. Pode ser comprada, vendida, barganhada, intoxicada ou aperfeiçoada. Há uma alma em cada um de nós. Eu sei.

— Tem certeza, Dorian?

— Certeza absoluta.

— Ah! Nesse caso deve ser uma ilusão. As coisas de que temos certeza absoluta jamais são reais. É a fatalidade da fé, a lição do romantismo. Que ar sério! Não seja tão sério, Dorian! Que temos você e eu com as superstições do nosso século? Toque alguma coisa. Um noturno, Dorian. E, enquanto o toca, vá dizendo baixinho como conservou a mocidade. Deve ser um segredo. Eu sou apenas dez anos mais velho do que você e aqui estou pálido, gasto e enrugado. Você é realmente extraordinário, Dorian. Nunca me pareceu tão encantador como esta noite. Lembra-me da primeira vez que o vi. Era um tanto petulante, muito tímido e absolutamente fora do comum. Mudou, naturalmente, mas a sua aparência é a mesma. Estimaria que me revelasse o seu segredo. Que não daria eu, para voltar à mocidade? Aceitaria qualquer condição, menos, é claro, fazer exercício, acordar cedo e tornar-me respeitável. A mocidade! Nada se lhe compara! É absurdo falar da inexperiência da mocidade. As únicas opiniões que ouço com certo respeito são as dos indivíduos muito mais moços do que eu. Parece-me que já me ultrapassaram. A vida lhes desvendou a sua maravilha mais recente. Quanto aos velhos, eu sempre os contradigo por princípio. Se você lhes pedir um parecer sobre um acontecimento de ontem, é certo que eles lhe darão solenemente as opiniões em curso no ano de 1820, quando usávamos meias compridas, acreditávamos em tudo e não sabíamos nada. Que coisa linda você está tocando! Será que Chopin a escreveu em Maiorca, ouvindo o mar chorar em torno da casa e os jatos de espuma quebrar nas vidraças? É adoravelmente romântica. Que bênção possuirmos ainda uma arte não imitativa! Não pare. Preciso de música esta noite. Farei de conta que você é o jovem Apolo e eu, Marsias, absorto em ouvi-lo. Também tenho os meus desgostos de que você mesmo não desconfia. A tragédia da velhice não é envelhecer; é como conservar-se jovem... Às vezes eu mesmo me espanto da minha sinceridade. Ah! Dorian, como você é feliz! Que vida de encantamento, a sua! Você esvaziou com grandes goles todas as taças; esmagou as uvas contra o céu da boca. Nada lhe ficou oculto. E tudo foi para você mero som de música, nada o mudou, você continua sendo o mesmo.

— Já não sou o mesmo, Harry.

— É o mesmo, sim. Pergunto: que será o resto da sua vida? Não a estrague com renúncias. Atualmente, você é um tipo perfeito. Não se torne incompleto. Agora, está isento de falhas. Não sacuda a cabeça, eu sei que é assim. Ademais, Dorian, não se iluda: não se governa a vida com a verdade ou as intenções. A vida é uma questão de nervos, de fibras, de células de formação lenta, onde o pensamento se aloja e a paixão esconde os seus sonhos. Você poderá julgar-se salvo e considerar-se forte. Mas lá um dia... uma gradação de cor em um quarto ou no céu matinal, um dado perfume que outrora você adorava e lhe traz recordações sutis, um verso esquecido, a cadência de uma página musical que deixou de tocar... Creia-me, Dorian, é de coisas assim que depende a nossa vida. Browning já disse isso em alguma parte. Mas os sentidos bastam para despertar tais figuras na imaginação. Em certos momentos, uma lufada de *lilas blanc* ressuscita meses e meses do meu passado. Eu gostaria de trocar de lugar com você, Dorian. O mundo clama contra nós dois, mas você continua a merecer-lhe a adoração. Personifica o tipo almejado e temido pela nossa época. Folgo de que não tenha feito nada na sua vida; de saber que não esculpiu uma estátua, não pintou um quadro, não produziu nenhuma obra sua. A sua arte foi a vida. Você a musicou e os seus dias são os seus sonetos.

Dorian deixou o piano, passou as mãos nos cabelos.

— Sim, a minha vida foi deliciosa. Mas eu não pretendo continuar este modo de vida, Harry. E não me diga essas coisas rebuscadas. É que não sabe tudo. Desconfio de que se me conhecesse bem, você mesmo se afastaria de mim. Está rindo? Não ria!

— Por que deixou de tocar, Dorian? Volte ao piano e repita o noturno. Veja essa lua cor de mel, suspensa no céu escuro. Está à espera de ser encantada por você. Toque e ela descerá mais perto da Terra. Não quer? Então vamos ao clube. Foi um serão feliz; devemos terminá-lo aprazivelmente. No White, há alguém que deseja muito conhecê-lo: o jovem lorde Poole, o filho mais velho de Bournemouth. Já copiou as suas gravatas e quer ser-lhe apresentado. Esse rapaz é um encanto; parece-se um tanto com você.

— Espero que não — disse Dorian, com tristeza. — Mas, a falar a verdade, Harry, estou cansado. Não vou ao clube. São quase onze horas e quero deitar-me cedo.

— Então fique. Saiba que nunca tocou tão bem como esta noite. Sentia-se, no seu *toucher,* um quê de maravilhoso. A sua execução foi expressiva como nunca!

— É porque eu quero ser bom — replicou Dorian, sorrindo. — Já mudei um pouco.

— Não mudará para mim, Dorian. Continuaremos amigos.

— Entretanto, outrora, você me envenenou com um livro, Harry. Não lhe deveria perdoar por isso. Prometa que nunca mais emprestará esse livro a ninguém. Ele é malfazejo.

— Está realmente começando a deitar moral, meu caro. Em breve o verei, como neófito ou revivalista, pregando em público, verberando os pecados de que se fartou. É muito fino para esse papel, Dorian. E não adianta. Você e eu somos o que somos; e seremos o que temos de ser. Envenenar-se com um livro é coisa inadmissível. A arte não influi na ação; anula o desejo de agir. É soberbamente estéril. Os livros que o mundo tacha de imorais são os que mostram ao mundo a sua imoralidade. Apenas isso. Mas não são horas de discutir literatura. Venha amanhã. Vou sair a cavalo às onze. Poderíamos ir os dois e depois eu o levaria a almoçar com lady Branksome. Uma senhora muito amável que deseja consultá-lo sobre umas tapeçarias que pretende comprar. Ou se almoçássemos com a nossa duquesinha? Ela queixa-se da sua deserção. Cansou-se de Gladys? Eu bem o imaginava. A prima é exasperante, com aquela linguagem erudita... Bem, de qualquer maneira, esteja aqui às onze.

— Deverei aceitar o convite?

— Naturalmente. O parque está lindo, nesta estação. Não me lembro de ter visto lilases tão belos, desde o ano em que nos conhecemos.

— Muito bem; estarei aqui às onze — prometeu Dorian. — Boa noite, Harry.

À porta, hesitou um instante, como se quisesse dizer algo mais. Afinal suspirou e saiu.

CAPÍTULO XX

Era uma noite luminosa, tão quente, que Dorian Gray dobrou o sobretudo no braço, sem sequer enrolar o cachecol de seda ao pescoço. Ia a caminho de casa, fumando um cigarro, quando passaram por ele dois moços elegantes; e um deles murmurou ao outro:

— É Dorian Gray.

Outrora, essa notoriedade causava-lhe prazer; ultimamente o contrariava. Um dos encantos da vila, aonde ia ver Hetty, era que ali ninguém o conhecia. Dissera à moça enamorada que era pobre e ela acreditara. Ousara também, certa vez, dizer-lhe que era mau. Ela se rira e protestara:

— Os maus sempre são velhos e feios!

Que riso cristalino, o de Hetty, e como ela era linda, com os seus vestidinhos de chita, à sombra do largo chapéu rústico! A pobrezinha era uma ignorante, mas tinha tudo o que ele perdera.

Dorian encontrou o criado à sua espera. Mandou-o deitar-se, atirou-se ao sofá da biblioteca e ficou a pensar no que lhe dissera lorde Henry.

Seria verdade que o homem não pode mudar? Que saudade tinha Dorian da pureza da sua adolescência! Sabia que maculara a alma, que enchera a mente de torpezas, que alimentara com horrores a imaginação. Fora para outros uma influência perniciosa e regozijara-se de o ter sido. As vidas que se haviam cruzado com a sua eram belas e promissoras; e ele as arrastara à vergonha. Todo esse mal seria irreparável? Haveria esperança para ele? Como deplorava Dorian Gray o momento de soberba que o fizera desejar que recaísse no retrato o peso dos seus dias, que lhe coubesse a ele o esplendor da eterna juventude! Dali vinham todas as suas faltas impunes. Antes recebessem o merecido castigo! No castigo há purificação. Não é "Perdoai-nos os pecados" e sim "Lavai-nos das nossas iniqüidades" a prece que o homem deveria elevar a um Deus perfeitamente justo.

O espelho maravilhosamente cinzelado, presente antigo de lorde Henry, estava sobre a mesa. Os cupidos que o enquadravam continuavam a sorrir na moldura.

Dorian Gray apanhou-o — como fizera naquela noite de horror, quando notara pela primeira vez a deturpação do retrato fatal — e cravou o olhar ansioso, velado de lágrimas, na superfície polida. Outrora, alguém que o amara loucamente escrevera-lhe, no fim de uma carta, estas frases de idolatria: "O mundo mudou, porque você é feito de marfim e ouro. As curvas dos seus lábios refazem a história". Essas frases voltavam-lhe à memória e ele as repetiu muitas vezes em voz baixa. Depois, amaldiçoando a sua beleza, jogou o espelho ao chão e o reduziu a cacos com o pé. A causa da sua desgraça fora a sua beleza; a beleza e a mocidade que ele almejara conservar perenemente. Sem elas, a sua vida seria pura. A beleza fora apenas uma máscara; a mocidade, uma zombaria...

Era preferível não pensar no passado. Nada o poderia mudar. Convinha-lhe pensar em si mesmo, no seu futuro. James Vane jazia em uma cova anônima, no cemitério de Selby. Alan Campbell suicidara-se uma noite, no laboratório, sem revelar o segredo que ele o forçara a partilhar. O alarde provocado pelo desaparecimento de Basil Hallward, embora suscitasse discussões acaloradas, não tardaria a esmorecer. Dorian Gray podia considerar-se em segurança. De resto, o que mais lhe doía não era a morte de Basil — era a morte, em vida, da sua alma. Basil Hallward pintara o retrato que o desgraçara. Não o podia perdoar. Esse quadro fora a causa de tudo. Basil acrescentara-lhe censuras intoleráveis que, no entanto, ele suportara com paciência. A morte de Basil adviera de um desvario momentâneo. A de Alan Campbell fora suicídio voluntário, deliberado, do qual não lhe cabia culpa alguma.

Uma vida nova!... Eis o que ele almejava, o que o interessava nesse momento. Já a iniciara de certo modo, poupando uma inocente. Nunca mais abusaria da inocência. Havia de ser bom.

A lembrança de Hetty Merton levou-o a perguntar a si mesmo se já se notaria alguma diferença no retrato trancado na sala de estudo. Naturalmente, o quadro já não deveria parecer tão medonho. Uma vida de expiação, uma vida pura talvez desfizesse as marcas horríveis que o deformavam. Algumas já poderiam ter desaparecido. Dorian resolveu certificar-se.

Apanhou um lampião e subiu. Ao abrir a porta, um sorriso alegre iluminava-lhe o rosto singularmente jovem e pairou-lhe por instantes nos lábios. Sim, ele havia de ser bom. O quadro hediondo deixaria de lhe inspirar horror. Dominou-o uma sensação de alívio, de se haver libertado de uma opressão.

Entrou vagarosamente, fechou a porta como de costume, puxou o pano de veludo...

Um grito de terror, de indignação, irrompeu-lhe dos lábios.

Não se operara mudança visível, salvo nos olhos, onde luzia uma expressão nova de astúcia, e na boca vincada, um trejeito hipócrita. A imagem odiosa tornara-se, se ainda era possível, mais repulsiva. O orvalho rubro continuava a porejar, mais vivo, como sangue recém-vertido...

Dorian Gray tremia. Era então a vaidade que o induzia a praticar uma boa ação? Ou o desejo de sensações novas, como insinuara lorde Henry, com o seu riso irônico? Ou ele cedera ao desejo intenso de representar um papel, paixão que não raro impele o homem à prática de atos superiores ao seu nível moral? Talvez fosse um pouco de tudo isso... Mas por que a nódoa horrível se alastrara até os dedos enrugados? Como pudera pingar nos pés da figura, manchar até a mão que não empunhara a faca?

Confessar?... Significaria aquilo que ele devia confessar o seu crime, entregar-se à prisão, à morte?

Dorian Gray soltou uma gargalhada. Que idéia monstruosa! Ademais, embora confessasse, quem o acreditaria? O assassinado desaparecera, reduzido a cinzas como tudo que lhe pertencia. Se confessasse, o mundo o tomaria por insano. Se insistisse em se declarar homicida, seria encerrado em um asilo de loucos... Contudo, o seu dever era confessar, sujeitar-se à ignomínia, expiar publicamente. Há um Deus que compele os homens a confessarem os seus pecados na terra, como no céu. Nada o purificaria, enquanto ele não revelasse espontaneamente o seu crime. Crime? Dorian Gray encolheu os ombros. Aos seus olhos, a morte de Basil Hallward carecia de importância. Interessava-o mais Hetty Merton. Era injusto, finalmente, esse espelho da sua alma. Não haveria senão vaidade, curiosidade, hipocrisia, na sua renúncia? Dorian convencera-se de que ela era mais do que isso. Mas quem o poderia afirmar?... Não! Por vaidade, ele poupara a jovem campesina; a hipocrisia pusera-lhe no rosto a máscara da bondade; mera curiosidade sugerira-lhe que experimentasse a renúncia. Percebia-o nesse momento.

Mas... esse crime ia amargurar-lhe a vida inteira? Teria ele que vergar sempre sob o fardo do seu passado? Deveria, de fato, confessar? Nunca!

Existia uma única prova acusadora: o retrato. Ele o destruiria. Por que o conservara tanto tempo? Outrora tinha prazer em vê-lo mudar, envelhecer. Isso já o não divertia; causava-lhe insônias. Quando se ausentava, consumia-o o medo de que outrem pudesse ver a efígie monstruosa que era a sua consciência e que ele ia eliminar.

Dorian Gray correu o olhar em torno. Viu a faca que lhe servira para apunhalar Basil Hallward, cintilante e limpa. Matara o pintor.

/lataria o quadro e tudo o que este ignificava. E ele estaria livre, li-re dessa tela monstruosa dotada le alma, livre das suas admoes-ações hediondas. Viveria final-nente em paz.

Empunhou, pois, a faca e tres-assou o retrato.

Ecoou um grito, seguido de m estrépito. O grito pavoroso, a sua agonia, fora tão lancinante, ue a criadagem acordou e acudiu larmada.

Dois senhores que passavam a praça pararam e levantaram os lhos para a suntuosa mansão. Continuaram o caminho até en-contrar um policial e com ele vol-aram ao palácio de Dorian. O guarda tocou várias vezes. Nin-guém atendia. Com exceção de ma janela iluminada, nos altos lo prédio, este continuava escuro. Ao termo de instantes, o policial postou-se em um alpendre próxi-mo e ficou em observação.

— Quem mora nessa casa, chefe? — perguntou o mais velho los dois homens.

— O senhor Dorian Gray — respondeu o policial.

Os dois senhores entreolha-ram-se com um sorriso malicioso e afastaram-se. Um deles era o tio de Sir Henry Ashton.

Do lado de dentro, o pessoal discutia em voz baixa. A velha Leaf chorava, torcendo as mãos. Francis estava lívido. Ao fim de um quarto de hora, o criado de quarto, um dos empregados e o cocheiro subiram ao último andar. Bateram à porta. Nenhuma resposta. Gritaram. Nada quebrou o silêncio. Depois de tentar em vão arrombar a porta, os três homens subiram ao telhado e de lá desceram à sacada. A porta cedeu facilmente; os ferrolhos eram antigos.

Ao entrarem na sala, viram na parede o magnífico retrato do amo, como eles o tinham conhe-cido, em pleno apogeu da sua es-plêndida mocidade e beleza. No chão, jazia o cadáver de um ho-mem em traje de rigor, com uma faca cravada no peito. Ele estava lívido, enrugado e repugnante. Só pelos anéis é que os seus criados conseguiram identificá-lo.

Oscar Wilde

No dia 25 de maio de 1895, Oscar Fingal O'Flahertie Wills Wilde foi condenado a dois anos de trabalhos forçados. Seu nome desapareceu do conhecimento dos homens; suas obras não podiam sequer ser mencionadas em sociedade. Nada ficou de seus dias de glória, luxo e elegância.

Os primeiros meses na prisão de Wandsworth foram tão difíceis que Wilde não se acreditava capaz de suportar os sofrimentos. A cama era uma prancha de madeira; a comida revoltava-lhe o estômago; as mãos, finas e delicadas, estavam agora feridas pelo trabalho. E o mais assustador era o silêncio insuportável, numa solidão que poderia arrastá-lo à loucura.

A única coisa que lhe amenizava o sofrimento eram as eventuais visitas do amigo Robert Sherard, da esposa Constance e do eminente advogado R. B. Haldane, que se havia interessado por ele. Haldane conseguiu-lhe pena, tinta e alguns livros, e, pouco mais tarde, a transferência para o presídio de Reading, onde se acreditava haver melhores condições para os detentos. Na verdade, as coisas não eram bem assim: o diretor do presídio, coronel Isaacson, era um dos mais severos partidários da disciplina. Mas Wilde permaneceu aí, e já tinha cumprido quase metade da pena quando soube da morte de sua mãe.

Alguns dias depois, o coronel Isaacson foi substituído pelo major Nelson, que abrandou o sistema disciplinar. Wilde estava bem mais tranqüilo. Um dos guardas assim o descreveu: "Uma coisa, contudo, eu garanto: enquanto na prisão, ele viveu como um santo ou perto do estado de santidade, o máximo a que um pobre mortal pode aspirar".

Nos últimos dias de cárcere, Wilde escreveu a obra que encerra sua produção em prosa — publicada anos mais tarde sob o título *De Profundis.* Era uma longa carta de reprovação endereçada a Alfred Douglas, a quem acusava de ter contribuído para sua queda e ruína. Apesar de não demonstrar qualquer arrependimento pela conduta que provocara sua condenação, o autor descreve a si mesmo como um homem de caráter fraco, de natureza benevolente e comodista. Em outros trechos, discute assuntos de arte e filosofia, e fala de suas crenças e descrenças.

Uma vez liberto, era certo que não poderia continuar na Inglaterra. Os poucos amigos que lhe restavam, cuidaram de preparar sua instalação na França. Wilde não tinha mais lar. A esposa e os filhos estavam distantes, com as identidades disfarçadas.

Os anos de aprendizagem

Ele era baixinho e deselegante; sabia, no entanto, lidar com as mulheres: suas aventuras galantes eram numerosas. No campo profissional, era considerado um ótimo médico, e sua reputação levou-o a ser nomeado cirurgiãooculista da rainha Vitória (18191901). Ainda assim, o Dr. William Robert Wills Wilde achava tempo para fazer pesquisas sobre antigüidades e folclore irlandês, cujos resultados expôs em seis livros.

Jane era alta, elegante, com porte de rainha e ideais revolucionários. De sua pena saíram torrentes de retórica e um escrito bastante inflamado — *Jacta Alea Est* —, firmado com o pseudônimo Speranza. Quando o panfleto foi publicado no periódico *Nação*, no dia 29 de julho de 1848, Jane Francesca Elgee ganhou notoriedade com a supressão do jornal.

O Dr. Wilde tinha 36 anos quando se casou com Jane, de apenas 25. Desta união nasceram três filhos: William, Oscar, aos 16 de outubro de 1854 e Isola. Jane queria que o segundo filho fosse uma menina. Recusou-se a aceitar o nascimento de mais de um homem; por isso, vestia-o com roupas femininas e tratava-o como a uma garota.

A casa dos Wilde, em Merrion Square, Dublin, era um centro aberto aos boêmios e literatos. Os boêmios, a convite do Dr. William, que acreditava no álcool como elemento auxiliar da medicina. Os outros eram os convidados de Jane, que, tendo abandonado os planos de revolução, estava decidida a se tornar inspiradora dos gênios literários. Vivendo nesse ambiente em que imperavam a vaidade e a ostentação, Oscar Wilde desde cedo começou a alimentar sentimentos de superioridade.

Apesar de nunca ter sido visto estudando profundamente, Oscar sempre obteve notas brilhantes. De 1864 a 1871, freqüentou a Portora Royal School, tradicional colégio protestante onde estabeleceu as bases de sua formação clássica. Durante os sete anos que ali passou, destacou-se não só pela inteligência mas pelos cabelos compridos, pela excentricidade das atitudes e das roupas. Não era muito querido dos colegas, mas não parecia importar-se com isso. No fim do curso, ganhou a medalha de ouro de Portora, como o melhor aluno do ano.

Em outubro de 1871, foi para o Trinity College, em Dublin, onde continuou a trajetória iniciada em Portora. Ao sair, levava uma medalha de ouro e a amizade do professor John Pentland Mahaffy, considerado o maior helenista de seu tempo.

Três anos depois, partiu para Oxford. Ganhou uma bolsa de estudos no Magdalen College e repetiu com a mesma facilidade seus sucessos anteriores, ocupando o primeiro lugar em 1876 e em 1878.

Em Oxford, aperfeiçoou, com John Ruskin (1819-1900), a arte do exibicionismo. Ruskin realizava duas conferências por semana, e sempre impressionava a platéia, não tanto pelas idéias como pelos gestos estudados, pela voz empostada, pelos trajes extravagantes. Wilde absorveu e até superou as técnicas, porém não o conteúdo; ao contrário, divergia frontalmente de Ruskin quanto à relação entre arte e moral: para o conferencista, arte sem moral era impossível; para Wilde, impossível era conciliá-las.

Seguindo o exemplo do mestre, nas férias de 1875, Wilde realizou uma peregrinação de arte pela Itália, visitando Milão, Pádua, Veneza e Verona. Em novembro desse mesmo ano fez sua estréia como autor na revista da Universidade de Dublin, com a peça *Chorus of Cloud Maidens* (*Coro das Donzelas de Nuvens*), uma adaptação de *As Nuvens,* de Aristófanes (450-385 a.C.).

Durante certo tempo, aproximou-se da Igreja Católica. Fez uma visita a Roma e esteve a ponto de converter-se; impediram-no as pressões contrárias da família, suas próprias dúvidas e a forte influência do professor Mahaffy, que vivia convidando-o: "Venha comigo à Grécia e eu farei de você um pagão honesto".

Uma outra influência decisiva, não só no tocante à questão religiosa, foi do crítico Walter Pater (1839-1894), que pregava a "arte pela arte" e o dever de aceitar o que a experiência puder oferecer em sensações novas e momentos de grande intensidade. Mahaffy e Pater fizeram de Wilde um pagão e um sensual.

O período de Oxford terminou com uma grande vitória: o Prêmio Newdigate de Poesia, por seu poema "Ravenna" (1878). Na verdade, mais do que a obra em si, o que impressionou os membros da universidade foi a apresentação segura e a declamação dos versos, num estilo muito aplaudido.

Quando saiu de Oxford, Wilde estabeleceu-se em Londres e atirou-se à luta pela glória. Apresentava-se em público com seus longos cachos, casaco de veludo, calções, camisa larga de colarinho baixo, gravata de cores extravagantes. Na mão ou na lapela, sempre um lírio ou um girassol.

As primeiras conquistas

Graças a algumas amizades, como a do duque de Newcastle e da duquesa de Westminster, Wilde penetrou na alta sociedade, apesar de não ter o dinheiro suficiente para manter o ritmo de elegância e brilho social. Nesse ambiente, conheceu a deslumbrante Lily Langtry, famosa em Londres por sua beleza. Através dela viveu sua primeira grande aventura em busca do belo e do amor.

Sob a pressão da necessidade financeira, em 1880 escreveu uma peça — *Vera* —, que não obteve o menor sucesso, e uma coletânea de versos — *Poemas* (1881) — que recebeu a consagração do público; em quatro semanas, passou por quatro edições. Deixando o fracasso e o êxito, Wilde partiu para Nova Yorque na véspera do Natal de 1881, a fim de realizar uma série de conferências na América. Atravessou os Estados Unidos em todas as direções; falou aos mais variados auditórios; esteve preso por quebra de contrato, e foi roubado por jogadores de pôquer.

Em Boston, os estudantes de Harvard resolveram pregar-lhe uma peça. Numa passeata, cada um trazia um lírio à lapela e um girassol na mão. Wilde aceitou a brincadeira dizendo:

"Vejo ao meu redor sinais de um movimento estético. Pela primeira vez sinto-me levado a pedir aos céus: protegei-me dos meus discípulos". Em San Francisco foi submetido à prova da bebida e saiu-se muito bem. A notícia log se espalhou: era um homem capa de esvaziar três garrafas sozinho Em Leadville, violenta cidade d mineiros, onde cada homem an dava com um revólver na cintu ra, advertiram-no de que o mata riam. Wilde não se assustou: le para os mineiros trechos da *Auto biografia,* do escultor italian Benvenuto Cellini (1500-1571), eles ficaram encantados.

Dos Estados Unidos, dirigiu se para o Canadá, visitando Que bec, Montreal e Toronto. Antes d terminar sua aventura americana conheceu Marie Prescott e seu ma rido, que no ano seguinte monta ram a peça *Vera.*

Em janeiro de 1883, voltou Inglaterra. Em seguida, viajou Paris, onde passou três meses conheceu muita gente importante Sarah Bernhardt (1844-1923), po exemplo, demonstrou simpatia admiração pelo visitante: "O qu me atraiu em Oscar Wilde foi qu desde o primeiro momento, sua atenções não me foram dirigida com segundas intenções, com sucede com quase todos os qu de mim se aproximam". També o pintor James McNeil Wllistle (18341903) teve uma impressã muito favorável do poeta, embor pouco depois rompesse com ele A desavença entre ambos resulto do fato de Wilde, em suas confe rências, expor idéias do pinto como se fossem suas.

Mas a pessoa mais importan te que ele conheceu em Paris fo

Robert Sherard, que se tornaria seu maior amigo. Apesar da intensa vida social, Wilde conseguiu terminar duas obras em Paris: o poema "A Esfinge" e a peça *A Duquesa de Pádua,* recusada pelo teatro.

Em agosto de 1883, foi pela segunda vez aos Estados Unidos, assistir a estréia de *Vera.* No entanto, o melodrama não foi bem recebido pelo público, sendo retirado de cartaz na primeira semana de exibição.

De volta à Grã-Bretanha, Wilde recomeçou seu trabalho de conferencista.

Numa dessas conferências, em Dublin, conheceu Constance, única herdeira de uma grande fortuna. Além de bela e rica, a moça era amável, tranqüila, de natureza suave e submissa. No dia 29 de maio de 1884, Wilde e Constance casaram-se na Igreja de St. James, Paddington. Do casamento nasceram dois filhos: Cyril (1885), que morreria em ação durante a Primeira Guerra Mundial, e Vyvyan (1886), que sessenta anos mais tarde iria dirigir a publicação do texto integral de *De Profundis.*

Tudo começou bem. Wilde era um marido apaixonado e um pai extremoso. Pela primeira vez, consentiu em ser um assalariado, com a função de dirigir a revista feminina *The Woman's World.* Durante dois anos, de 1887 a 1889, ocupou-se dessa tarefa, além de colaborar em vários periódicos de projeção nos meios literários. Como chefe de família suburbano, viajava de trem, obedecia aos horários e deixou de fumar por exigência da revista. Era eficiente e consciencioso, sentia-se feliz.

Entretanto, a monotonia deste tipo de vida começava a pesar sobre ele. Dessa forma, passou a chegar mais tarde ao emprego e a sair mais cedo. Em 1889, terminou o contrato, e ninguém falou em renová-lo. Wilde não precisaria mais gastar tempo e inteligência com fitas, rendas, vestidos para crianças e ocupações para as mulheres. No entanto, seu orçamento ficou abalado, obrigando-o a fazer inúmeras visitas às casas de penhor.

As experiências perigosas

Wilde conheceu Robert Ross em 1886, em Oxford, e logo em seguida, levado por ele, iniciou as "experiências" homossexuais que se tornariam um hábito a partir de 1889.

Esta data marcou também o início de sua produção literária mais intensa. Colaborou em várias revistas de projeção; escreveu o romance *O Retrato de Dorian Gray,* para o Lippincott's Magazine. O primeiro capítulo apareceu em junho de 1890. Em março de 1891, a obra foi publicada em volume.

O romance não foi bem recebido pelos críticos, principalmente pelos moralistas, que o consideraram uma obra "envenenadora dos costumes".

O escritor, no entanto, afirmava que sua obra era moralmente perfeita.

Os críticos, porém, parecem não se ter dado o trabalho de analisar profundamente as idéias do escritor. Wilde, por sua vez, tinha outras preocupações. Além de pregar a "arte pela arte" e de afirmar a superioridade do artista, ele estava começando a se interessar seriamente pelo teatro.

Foi George Alexander, do St. James Theatre, quem reavivou em Wilde a idéia de se tornar famoso como teatrólogo, malgrado as infelizes experiências anteriores. Com cem libras adiantadas por Alexander, o escritor partiu para a região dos Lagos, na Escócia, de onde retornou com o texto de *O Leque de Lady Wirdermere* (1892).

A peça mal começou a ter sucesso, e o autor, animado, começou a escrever *Salomé,* única obra de um dramaturgo inglês escrita em francês. Sarah Bernhardt ia representá-la, em Paris. Entretanto, às vésperas da estréia, a censura proibiu o espetáculo. Em 1894, *Salomé* foi publicada em tradução inglesa, com ilustrações de Audrey Beardsley (1872-1898), e, em 1896, Sarah Bernhardt finalmente pôde representar nos palcos franceses essa peça, considerada como um estudo sobre a maldade, uma obra-prima de sadismo.

O sucesso da peça constituiu estímulo suficiente para Wilde continuar escrevendo. Seu tempo e mais o dinheiro ganho com os direitos autorais eram dedicados a divertir Alfred Douglas, conhecido como Bosie, um belo jovem de vinte anos que ele conhecera em 1891. Naquela época, o culto do homossexualismo estava em moda entre os rapazes, sobretudo entre os mais dotados de qualidades artísticas. Desse grupo, Bosie era líder absoluto.

A segunda comédia de Wilde, *Uma Mulher sem Importância,* estreou no verão de 1893, com enorme sucesso. Foi montada pela Companhia de Berbohm Tree, no seu teatro recentemente construído, o Haymarket. Durante os ensaios, Tree recebeu uma cópia de uma carta de Wilde, que elogiava os lábios de rosa de Alfred Douglas. Considerando-a perigosa, mostrou-a ao escritor, que, sem dar maior importância ao fato, atirou-a de lado. Era o início de seus aborrecimentos. Pouco depois, começou a ser ameaçado por chantagistas.

Por outro lado, lady Queensberry, mãe de Bosie, andava descontente com o comportamento do filho e decidiu mandá-lo viajar. No Egito, vivendo entre alguns intelectuais, Alfred forneceu material para Robert Hichens escrever o conto *O Cravo Verde,* uma sátira sobre Wilde, pintado realisticamente. Mas, ao voltar da viagem, reatou sua ligação com o escritor.

O processo

John Sholto Douglas — o oitavo marquês de Queensberry —, pai de Bosie, tinha surpreendido o filho em companhia de Wilde, no Café Royal. Ficou irritadíssimo, a ponto de ameaçar o jovem: "Se estivesse absolutamente certo dos fatos, já lhe teria dado um tiro", escreveu numa carta. A resposta de Alfred não foi menos rude: "Se tentar atacar-me, vou defender-me com um revólver carregado que sempre trago comigo". Não é difícil entender essas mútuas ameaças, pois o marquês nunca tivera boas relações com a família. O próprio Bosie descreveu-o como um monstro desumano, louco furioso, perseguidor da esposa e terror dos filhos.

Enquanto toda Londres comentava Oscar Wilde e o "menino" com quem andava, o escritor concluía a peça *Um Marido Ideal*. O enredo gira em torno de uma mulher aventureira e um ministro, a revelação de um segredo de Estado e uma ameaça de chantagem. No início de 1895, a obra foi apresentada no Haymarket; mal saía de cartaz quando Wilde passou a trabalhar em *The Importance of Being Earnest.*

Esta é a última e a melhor de suas comédias. Há no título original a possibilidade de um equívoco, devido à identidade de pronúncia, em inglês, entre as palavras "honesto" (earnest) e "Ernesto" (Ernest), de modo que se poderia entendê-lo como *A Importância de Ser Honesto,* ou, *de Ser Ernesto.* Na noite de estréia, 14 de fevereiro de 1895, grande público atravessou ruas cobertas de neve para chegar até o teatro. Entre essas pessoas, estavam o marquês de Queensberry e um criado, carregados de vegetais e com a clara intenção de estragar o espetáculo. Porém, foram barrados na porta. Quatro dias depois, Queensberry apareceu no Clube Albemarle, que Wilde freqüentava, e entregou ao porteiro seu cartão de visitas com os dizeres: "A Oscar Wilde, que parece um sodomita". Quando recebeu o cartão, o escritor ficou indignado e resolveu levar o marquês ao tribunal por crime de difamação. Queensberry foi intimado a apresentar-se a julgamento em Old Bailey. E, enquanto procurava provas para preparar sua defesa, colocando detetives para devassar a vida íntima do adversário, Wilde irresponsavelmente partiu com Bosie para o sul da França.

O processo contra Queensberry iniciou-se na manhã de 3 de abril de 1895. Dois dias depois, o aristocrata era declarado inocente, e o escritor era detido sob a acusação de praticar delitos contra pessoas do sexo masculino. Seu advogado pediu permissão para prestar fiança, porém o magistrado a negou, baseando sua recusa na gravidade do caso. Entretanto, o julgamento foi adiado e Wilde ganhou liberdade por três semanas. Os amigos aconselharam-no a fugir para o continente. Aturdido e exausto, ele deixou-se ficar. Não tinha dinheiro nem para pagar o advogado. Seus livros foram retirados do mercado e suas peças, dos teatros. A casa foi vendida e, durante o leilão dos bens, pilhada pelas pessoas presentes.

Finalmente, a 25 de maio de 1895, Oscar Wilde foi condenado a dois anos de trabalhos forçados.

O exílio

Quando saiu da prisão, no dia 19 de maio de 1897, percebeu que aqueles dois anos tinham sido apenas um período preliminar de sua punição. Cumpriria pena de ostracismo pelo resto da vida. Foi viver sozinho em Berneval, vila pesqueira na costa da França; com o nome de Sebastian Melmoth. Para distrair-se, voltou a trabalhar. Escreveu duas cartas sobre a vida do cárcere e começou a *Balada da Prisão de Reading.*

Depois de muitas cartas e telegramas, acabou concordando em encontrar-se com Bosie: tomou um trem para Nápoles e, após uma curta permanência no Hotel Royal, alugou uma casa em Posillipo, a Villa Giudice, onde viveu com Alfred durante três meses.

Seu tempo em Posillipo foi gasto também na complementação e na revisão da *Balada da Prisão de Reading,* seu melhor poema, dedicado à memória de C. T. W., durante algum tempo soldado da Guarda Real Montada, morto na prisão de Reading a 7 de julho de 1896. Escrita numa linguagem simples, com frases curtas e imagens puras, a *Balada* impressiona por um realismo vivo, no qual é descrito o horror dos condenados em suas celas.

Como nenhuma firma respeitável quisesse editá-lo, o poema foi entregue a Smithers — que traficava com livros de pornografia e "publicava tudo aquilo de que os outros tinham medo'' A obra foi impressa sem o nome do autor. As duas primeiras edições, de oitocentos exemplares, esgotaram-se rapidamente.

Wilde estava em Paris, quando, na primavera de 1898, já separado de Bosie, soube da morte de Constance. Em março do ano seguinte, faleceu William, com quem não mantinha relações de amizade há muito tempo. Meses depois, encontrou-se com Robert Sherard; às vezes, avistava-se com Douglas, que nessa época vivia em Paris. O círculo de amigos diminuía cada vez mais. As pessoas respeitáveis sentiam-se ofendidas por sua embriaguez e outros hábitos. No outono de 1900, o escritor começou a queixar-se de dores de cabeça, que, com o passar dos dias, pioraram até se tornarem insuportáveis.

Mesmo após uma pequena operação no ouvido — que serviu para amenizar as dores —, sua situação continuava delicada. Alguns dias depois, o abscesso do ouvido provocou uma inflamação no cérebro.

No dia 30 de novembro de

1900, Wilde entrou em coma e perdeu a consciência. Seu último desejo havia sido atendido: ser recebido na Igreja Católica Romana. Eram quase duas horas da tarde quando faleceu.

O serviço fúnebre realizou-se na Igreja de Saint-Germaindes-Prés. O cortejo entrou na igreja por uma obscura porta lateral. Os sinos não repicaram. Foi dita missa simples. Os restos mortais foram levados para o Cemitério de Bagneux, nos arredores de Paris.

Durante nove anos, apenas uma inscrição com o nome e as datas indicava seu túmulo. Somente em 1909, quando todas as suas dívidas foram pagas, é que o trasladaram para um lugar de honra no Père Lachaise — último lugar de descanso para homens e mulheres de gênio. Sobre o túmulo foi erguido um monumento. Wilde estava imortalizado

(Fonte: *Os Imortais da Literatura Universal*. Vol. III, Abril, 1972.)

ÍNDICE

Prefácio do artista 11
Prefácio do autor 13
Capítulo I 15
Capítulo II 26
Capítulo III 38
Capítulo IV 48
Capítulo V 60
Capítulo VI 69
Capítulo VII 76
Capítulo VIII 85
Capítulo IX 96
Capítulo X 104
Capítulo XI 111
Capítulo XII 123
Capítulo XIII 129
Capítulo XIV 135
Capítulo XV 143
Capítulo XVI 150
Capítulo XVII 156
Capítulo XVIII 161

Capítulo XIX 169
Capítulo XX 174
Perfil do autor 178

12 • Complemento de Leitura

Nome ____

Série _____ Grau _____ Professor ___________________________

Escola ____

Esclarecimentos:

Este instrumento de trabalho tem por principal objetivo explorar a leitura, trazer ao leitor a oportunidade de refletir e confrontar-se com o texto. Ao nos depararmos com uma obra literária, não podemos desconsiderar o universo contextual do autor e que tipo de reprodução ele realiza. Presente e passado, estilos individuais, de época, conceitos e "pré-conceitos", tudo deve ser confrontado e analisado ao entrarmos em contato profundo com uma obra.

Por mais que a arte queira sobreviver por si própria, ela se tornará vazia e "non-sense" se não carregar marcas de humanidade.

Por isso, a Editora Martin Claret tem como lema "pensar é causar", convidando você para trilhar os horizontes pedagógicos que aí estão para "ser mais" e "causar" (subentenda-se transformações pessoais e sociais).

Sobre o autor e a obra

O Retrato de Dorian Gray é mais uma obra da coleção "A obra-prima de cada autor", é considerada a mais intrigante de Oscar Wilde, autor inglês que escandalizou seu tempo e desafiou seu mundo. "Peque seu corpo uma vez e estará livre do pecado, porque a ação tem um dom purificador" — assim fez Oscar Wilde, purificou-se e pagou o preço. Assim fez Dorian Gray, Henry, Basil Hallward. E você, caro leitor, qual o preço de sua purificação? Qual foi seu grande pecado?

"... A alma é uma realidade terrível. Pode ser comprada, vendida, barganhada, intoxicada ou aperfeiçoada. Há uma alma em cada um de nós. Eu sei."

Reflexão

1. "Só os espíritos fúteis não julgam pelas aparências. O verdadeiro mistério do mundo é o visível, e não o invisível ..." (p. 31)

Lord Henry é a personagem que vai trazer a inquietação aos espíritos dos demais. Seus aforismos mostram a hipocrisia moral de seu tempo. Baseando-se nas regras éticas e sociais que você conhece, argumente a regra de Lord Henry citada acima.

___

___

___

___

___

___

___

___

___

___

___

___

___

2. "O tempo tem-lhe inveja e faz guerra aos seus lírios e suas rosas." (p. 31).

Com esta afirmação Lord Henry abre em Dorian Gray a mais dolorosa ferida do ser humano, a efemeridade de sua existência, que é revelado em vários momentos da literatura. Machado de Assis é autor contemporâneo de Oscar Wilde e um dos principais nomes do Realismo brasileiro. Em sua obra *Memórias Póstumas de Brás Cubas* também faz uma alusão a ação implacável do tempo. Leia o capítulo entitulado "O Delírio" da obra citada e compare a visão dos dois autores em relação ao tempo.

3. "A noção de sua beleza dominava-o como uma revelação".

Assim como Narciso, Dorian Gray encanta-se com sua própria beleza e em função dela passa a viver. Levando em conta essas duas personagens, qual a relação que pode ser estabelecida entre elas? E qual a fraqueza do espírito humano exaltada por ambos?

4. Toda obra literária reflete um contexto social, político e histórico. Releia o trecho em que Lord Henry expõe sua visão sobre as mulheres. Em seguida reveja alguns períodos literários e estabeleça a diferença entre os papéis das mulheres em suas respectivas sociedades.

"As mulheres são o sexo decorativo. Nunca têm nada a dizer, mas falam que é um encanto. As mulheres representam o triunfo da matéria sobre o espírito." (p. 50)

5. Ao defender sua obra-prima, Oscar Wilde diz: "Não existe livro moral nem imoral. Os livros são bem ou mal escritos. Eis tudo."

Argumente a questão da imoralidade ou moralidade desta obra. Lembre-se que a ética social muda de acordo com o tempo e a cultura de um povo.

6. Dorian Gray e Lord Henry mostram ao leitor duas faces diferentes de pecado e purificação. Confronte-as, em seguida defina o que é pecado e qual seria o seu papel na história da humanidade.

7. O homossexualismo de Oscar Wilde provoca a ira da sociedade transformando sua vida em tragédia. Duzentos anos mais tarde, qual o comportamento da sociedade diante do homossexualismo?

8. Apesar de ter sido escrita em 1890 e trazer em si características do Realismo, em alguns momentos suas personagens agem tipicamente como as personagens do ultra-romantismo brasileiro. Identifique que atitudes que comprovam essa afirmação.

9. "A propósito, Dorian: que adianta ao homem conquistar o universo se... como continua a citação ?... se perde a alma ?" (p. 171)

Quantas vezes você acredita que a humanidade perdeu sua alma para conquistar o universo?

10. *O Retrato de Dorian Gray* revela almas que se entregam a paixões e que são atormentadas por seus próprios pecados.

Lembrando que vivemos em um mundo Cristão, verifique quais dos sete pecados capitais Dorian Gray cometeu. Você conseguiria estabelecer uma relação entre ética e religião?

Suporte Pedagógico Editorial

CRISTINA SPECHOTO: spechoto@martinclaret.com.br
MAURO ARAUJO DE SOUSA: mauroade@martinclaret.com.br
SILVIO SANTANNA: annasant@martinclaret.com.br

Responsável por:

O RETRATO DE DORIAN GRAY: Profa. Cristina Spechoto

Relação dos Volumes Publicados

1. **Dom Casmurro**
   Machado de Assis
2. **O Príncipe**
   Maquiavel
3. **Mensagem**
   Fernando Pessoa
4. **O Lobo do Mar**
   Jack London
5. **A Arte da Prudência**
   Baltasar Gracián
6. **Iracema**
   José de Alencar
7. **Inocência**
   Visconde de Taunay
8. **A Mulher de 30 Anos**
   Honoré de Balzac
9. **A Moreninha**
   Joaquim Manuel de Macedo
10. **A Escrava Isaura**
    Bernardo Guimarães
11. **As Viagens - "Il Milione"**
    Marco Polo
12. **O Retrato de Dorian Gray**
    Oscar Wilde
13. **A Volta ao Mundo em 80 Dias**
    Júlio Verne
14. **A Carne**
    Júlio Ribeiro
15. **Amor de Perdição**
    Camilo Castelo Branco
16. **Sonetos**
    Luís de Camões
17. **O Guarani**
    José de Alencar
18. **Memórias Póstumas de Brás Cubas**
    Machado de Assis
19. **Lira dos Vinte Anos**
    Álvares de Azevedo
20. **Apologia de Sócrates**
    Platão
21. **A Metamorfose Carta a Meu Pai Um Artista da Fome**
    Franz Kafka
22. **Assim Falou Zaratustra**
    Friedrich Nietzsche
23. **Triste Fim de Policarpo Quaresma**
    Lima Barreto
24. **A Ilustre Casa de Ramires**
    Eça de Queirós
25. **Memórias de um Sargento de Milícias**
    Manuel Antônio de Almeida
26. **Robinson Crusoé**
    Daniel Defoe
27. **Espumas Flutuantes**
    Castro Alves
28. **O Ateneu**
    Raul Pompéia
29. **O Noviço**
    Martins Pena
30. **A Relíquia**
    Eça de Queirós
31. **O Jogador**
    Dostoievski
32. **Histórias Extraordinárias**
    Edgar Allan Poe
33. **Os Lusíadas**
    Luís de Camões
34. **As Aventuras de Tom Sawyer**
    Mark Twain
35. **Bola de Sebo e Outros Contos**
    Guy de Maupassant
36. **A República**
    Platão
37. **Elogio da Loucura**
    Erasmo de Rotterdam
38. **Caninos Brancos**
    Jack London
39. **Hamlet**
    William Shakespeare
40. **A Utopia**
    Thomas More
41. **O Processo**
    Franz Kafka
42. **O Médico e o Monstro**
    Robert Louis Stevenson
43. **Ecce Homo**
    Friedrich Nietzsche
44. **O Manifesto Comunista**
    Marx e Engels
45. **Discurso do Método Regras para a Direção do Espírito**
    René Descartes
46. **Do Contrato Social**
    Jean-Jacques Rousseau
47. **A Luta pelo Direito**
    Rudolf von Ihering
48. **Dos Delitos e das Penas**
    Cesare Beccaria
49. **A Ética Protestante e o Espírito do Capitalismo**
    Max Weber
50. **O Anticristo**
    Friedrich Nietzsche
51. **Os Sofrimentos do Jovem Werther**
    Goethe
52. **As Flores do Mal**
    Charles Baudelaire
53. **Ética a Nicômaco**
    Aristóteles
54. **A Arte da Guerra**
    Sun Tzu
55. **Imitação de Cristo**
    Tomás de Kempis
56. **Cândido ou o Otimismo**
    Voltaire
57. **Rei Lear**
    William Shakespeare
58. **Frankenstein**
    Mary Shelley
59. **Quincas Borba**
    Machado de Assis
60. **Fedro**
    Platão
61. **Política**
    Aristóteles
62. **A Viuvinha Encarnação**
    José de Alencar

63. **As Regras do Método Sociológico**
Émile Durkheim

64. **O Cão dos Baskervilles**
Sir Arthur Conan Doyle

65. **Contos Escolhidos**
Machado de Assis

66. **Da Morte Metafísica do Amor Do Sofrimento do Mundo**
Arthur Schopenhauer

67. **As Minas do Rei Salomão**
Henry Rider Haggard

68. **Manuscritos Econômico-Filosóficos**
Karl Marx

69. **Um Estudo em Vermelho**
Sir Arthur Conan Doyle

70. **Meditações**
Marco Aurélio

71. **A Vida das Abelhas**
Maurice Materlinck

72. **O Cortiço**
Aluísio Azevedo

73. **Senhora**
José de Alencar

74. **Brás, Bexiga e Barra Funda / Laranja da China**
Antônio de Alcântara Machado

75. **Eugênia Grandet**
Honoré de Balzac

76. **Contos Gauchescos**
João Simões Lopes Neto

77. **Esaú e Jacó**
Machado de Assis

78. **O Desespero Humano**
Sören Kierkegaard

79. **Dos Deveres**
Cícero

80. **Ciência e Política**
Max Weber

81. **Satíricon**
Petrônio

82. **Eu e Outras Poesias**
Augusto dos Anjos

83. **Farsa de Inês Pereira /Auto da Barca do Inferno/Auto da Alma**
Gil Vicente

84. **A Desobediência Civil e Outros Escritos**
Henry David Toreau

85. **Para Além do Bem e do Mal**
Friedrich Nietzsche

86. **A Ilha do Tesouro**
R. Louis Stevenson

87. **Marília de Dirceu / Cartas Chilenas**
Tomás A. Gonzaga

88. **As Aventuras de Pinóquio**
Carlo Collodi

89. **Segundo Tratado Sobre o Governo**
John Locke

90. **Amor de Salvação**
Camilo Castelo Branco

91. **Broquéis/Faróis**
Cruz e Souza

92. **I-Juca-Pirama/ Os Timbiras/ Outros Poemas**
Gonçalves Dias

93. **Romeu e Julieta**
William Shakespeare

94. **A Capital Federal**
Arthur Azevedo

95. **Diário de um Sedutor**
Sören Kierkegaard

96. **Carta de Pero Vaz Caminha a El-Rei Sobre o Achamento do Brasil**

97. **Casa de Pensão**
Aluísio Azevedo

98. **Macbeth**
William Shakespeare

99. **Édipo Rei/Antígona**
Sófocles

100. **Lucíola**
José de Alencar

101. **As Aventuras de Sherlock Holmes**
Sir Arthur Conan Doyle

102. **Bom-Crioulo**
Adolfo Caminha

103. **Helena**
Machado de Assis

104. **Poemas Satíricos**
Gregório de Matos

105. **Escritos Políticos/ A Arte da Guerra**
Maquiavel

106. **Ubirajara/Diva**
José de Alencar

107. **Eurico, o Presbítero**
Alexandre Herculano

108. **Contos**
Lima Barreto

Série Ouro

1. **Leviatã**
Thomas Hobbes

2. **A Cidade Antiga**
Fustel de Coulanges

3. **Crítica da Razão Pura**
Immanuel Kant

4. **Confissões**
Santo Agostinho

5. **Os Sertões**
Euclides da Cunha

6. **Dicionário Filosófico**
Voltaire

7. **A Divina Comédia**
Dante

8. **Ética**
Baruch de Spinoza

9. **Do Espírito das Leis**
Montesquieu

10. **O Primo Basílio**
Eça de Queirós

11. **O Crime do Padre Amaro**
Eça de Queirós

12. **Crime e Castigo**
Dostoievski